花千樹

徐焯賢

幻行者3

雪國異域戰

人物簡介

「大賢者三徒」

喬亞：「幻劍師」，大賢者的第三名徒弟，為人偏激，有點高傲，除了與師兄克遜及師姐阿芙拉比較親近外，不太會與其他人相處。擅長使用「幻劍術」、「幻獸術」，手中的黑龍劍能夠變出不同的聖獸，往往攻敵無備。

克遜：「第三刃」，大賢者的首徒，王都的二王子，阿芙拉的情人。正直剛毅，嚴己嚴人，視喬亞為親弟。擅使「大日刀法」，霸道無比。

阿芙拉：「精靈使」，大賢者的第二名徒弟，克遜的情人。溫柔聰穎，觀察入微，有愛心。擅使「水之精靈法則」。

「王都四天王」

溫妮雅：「御劍師」，國師的徒弟，「四天王」之一，為人衝動、熱血，喜歡逞強，有過目不忘的能力。擅長使用「御劍術」，偶然發現自己有變成水的能力。喜歡喬亞。

艾瑟：國師的首徒，「四天王」之一，比尤姬的丈夫，為人謹慎低調。擅使「幻甲術」，能把天下所有物質變成自己的盔甲。

比尤姬：「精靈使」，國師的二徒，「四天王」之一，艾瑟的妻子，為人聰明體貼。擅使「土之精靈法則」。

夏格：國師的末徒，「四天王」之一，為人自卑，卻異常勤奮，喜歡溫妮雅。擅使「幻體術」、「雷霆斧勢」。

「八大惡」

第一惡：吸血魔德古拉

第二惡：曼陀羅

第三惡：人狼王雷克蘭

第四惡：屍邪鬼納西斯

第五惡：人魚阿塔加蒂

第六惡：猶達

第七惡：艾基特林

第八惡：唐靈

「人魚族」

真由：擅使「武化」，把水變成不同的武器和防具。

真魚：擅使「倍化」，將水倍化。

利德：人魚族外務，擅使「千里眼」，利用水監視別人。

信馬：人魚族內務。

紀康：人魚族牢務，擅使「無」，把活水歸於無。

美依：人魚族醫務。

其他

端芮：王都的將領，曾被「吸血魔」咬過，擁有不死身，落難至美湖村。

他古：人魚族的「海中霸王」，亦是他們的守護神，曾看守被囚禁的屍邪鬼。

父神：「八大惡」的製造者。

目錄

前文提要

「幻劍師」喬亞、「御劍師」溫妮雅在跟「人狼王」雷克蘭、「屍邪鬼」納西斯一戰中節節敗退，忽然一個巨浪沖來，救了二人。施術者是人魚族的真由、真魚，她們正在追捕雷克蘭和納西斯。

不幸地，真由被雷克蘭突襲，受了重傷；真魚亦跟她走散了。另一邊廂，喬亞單獨迎戰追來的納西斯；溫妮雅則遇上真由，二人雖勉強避過了雷克蘭的追擊，卻沒想到納西斯就在後頭，還把真由「殺」了。

受真由死前所託，溫妮雅前往人魚之鄉——水都。為了令人魚族相信自己，她答應族長要求，挑戰海中霸王他古。儘管帶著法寶、咬破美依給的小水包，還一度化身成水，溫妮雅始終不敵他古。危急之際，喬亞、真由、真魚現身救了她。

溫妮雅平安歸來，美依依約講出「真相」——人魚族囚禁了「吸血魔」德古拉他們上千萬年，但被叛徒紀康放走了，故此人魚族希望喬亞、溫妮雅幫忙捉回他們。

喬亞一行人離開水都前，去了囚禁德古拉的地方，並取走一個頭盔。此時一頭光魚向著喬亞衝去……

第二十七章　光明與黑暗

光與黑堆滿了真由、真魚的眼底，蔚為奇觀。

真魚從來沒有想過會為一個人類做到這種地步。但如果可以讓她再選擇，她仍然會這樣做。就在喬亞被光魚圍攻的瞬間，她的眼波收窄到光魚的鱗片上，只要牠們敢咬喬亞一口，她的「倍化」一定會教牠們難受。

「倍化」能夠增加水的體積，只要她一出手，水就會從四方八面膨脹起來，重重壓在光魚的身上。光魚雖然罕有，但尋常生物應該難以承受那份壓力，非死即傷。對於一向善良的她來說，這是她最不願意做的事。

跟其他人魚不一樣，她不吃魚蝦蟹，只吃海草、海藻。她熱愛水中的每一個，因此她雖然可以在山洞裡殺死他古，但她都只把牠弄暈。

當下，她動了殺機，這是前所未有的事。

她應該有更好的選擇，不過此刻卻作了最壞的打算。

——要破殺戒了，為什麼我會這樣子呢？

猶幸有另一個她出手，才打消了她的殺意。

就在喬亞身陷絕境的時候，她二話不說游到喬亞的身前。

她敏捷得像人魚，連真魚也有錯覺以為她長有人魚的雙尾鰭，耀眼奪目的紅髮。

不過她多敏捷也沒有用，在水裡，人類是很難佔到便宜。沒錯，擋在喬亞身前的就是另一個人類——溫妮雅。

「幻劍師」喬亞、「御劍師」溫妮雅在陸上確實有很大的本事，但在水裡，他們絕對敵不過光魚。

溫妮雅的捨身也只不過是一種拖延。

但她知道自己必須要這樣子做。

那怕只是一剎那，只要拖延到光魚的咬噬，喬亞一定有足夠時間呼喚出黑龍牠們。她相信他一定能辦得到。

但「相信」真的能改變厄運嗎？

就在大家都不知所措之際，一道旋渦自水底升起，打在喬亞和溫妮雅的腳底。旋渦力道雖猛烈，但沒有殺傷力，只像一隻巨掌朝天舉起，把喬亞二人往水面推去。

「義弘，做得好！」真由大讚。

「牠們失了常，快點想辦法。」剛打出了「旋渦」的義弘顯得不知所措。

真由暗想這幾條光魚雖然滿嘴利齒，外形又凹凹凸凸，形相不討好，但平日很是溫馴，與他們甚是友好，此刻要對付牠們，著實不知道如何下手才好。

幾條光魚似乎認定了喬亞這外人為目標，不理會真由、真魚和義弘三尾人魚，齊齊往上方追去。

真由他們三尾人魚算是見慣大場面，但都被眼前的景象所震懾。

一直以來，他們以為光魚只有四五條，但當看見牠們統統由海床冒出來，追著喬亞二人，才知道自己猜錯。在這個海床居住的光魚竟然有成千上萬，牠們有大，也有小，都冒著光，一齊追著喬亞二人。

真魚忽然想起魚兒產卵的情況，她記得自己曾經這樣問過師父：「為什麼魚兒能一次過產這麼多的卵呢？我們人魚只是每次一胎呢？」

當時師父的解釋是：「因為牠們是我們的糧食，所以數量要龐大到我們吃不完，否則我們吃光了，牠們就會絕種，我們也會餓死。」

——絕種？餓死？

看著眼前難以估量的光魚，真魚忽然想到了絕種這問題，自覺匪夷所思。

「牠們發生什麼事呢？」真由的語調有點不尋常。

真魚看了過去，只見真由伸手往其中一條光魚身上掃過去。可是那光魚彷彿是不存在般，一下子就穿過了真由的手掌。

「是幻覺嗎？」義弘詫異地問。

「我也不知道。」真魚看著那團光魚，一臉迷茫。

真由說：「義弘，給我們兩道旋渦護身，我們救走他們後，你用最厲害的『旋渦』把牠們帶走吧！」

義弘左手輕輕按著嘴唇，右手一揚，兩道旋渦立即從真由、真魚兩姐妹身旁升起。她們稍微擺動軀體，潛入旋渦，再加速旋轉，不一會兒，旋渦越變越大。

真由嬌呼一聲，向上游去，旋渦隨著她上升，一起闖入光魚群。

光魚群被她一衝即散，她本以為會露出喬亞二人真身的時候，卻見光魚群團團圍著的是一群黑漆漆的沙甸魚。沙甸魚順時針打圈，緊緊聚在一起，成為了一個巨大的圓

球。

「是他的絕技。」真魚停在真由身旁說。

「他確實很厲害，竟然可以召喚這麼一大群沙甸魚。」真由由衷地說。

沒錯，喬亞被義弘送離光魚的咬噬，稍稍獲得喘息的機會，就立即召喚出一大群沙甸魚，包圍著自己與溫妮雅。

光與黑堆滿了真由、真魚的眼底，蔚為奇觀。

光魚不斷撞擊沙甸魚群，有些穿過了魚群，從另一面穿了出來；有些則被反彈向後。

真由說：「這世上真的有魚可以由實體變成幻象嗎？」

真魚沒有答話，只是定睛看著沙甸魚群。

真由錯愕地看著妹妹，不知道她在想什麼，不過在她的瞳孔裡，真由彷彿看見喬亞的身影。

「妹妹……」真由欲言又止。

「我如果使出旋渦，可能會傷害到喬亞他們。」義弘游到她們身旁，一臉擔心地說，「難道要等待雙方力弱的時候嗎？」

真魚突然指著其中一條較大的光魚，說：「可以送走那條魚嗎？」

「為什麼？」真由說。

義弘不待真魚回答，擺動右手，旋渦立時捲著那條光魚，把牠送得遠遠的。

他們眼前頓時一黑，真由像小孩子發現新玩意般，激動地說：「牠們是假的，是牠的分身！」

真魚手指迅速指著另一條魚，真由立即行動，右手登時多了一支水造的長槍。

「不要傷害牠們。」真魚說。

「放心。」真由右手往前一擲，長槍飛往光魚身旁。眼看快要刺穿光魚的一剎，長槍突然散開，變成了一個魚網，把那條光魚擒下。魚網去勢甚急，帶得那條光魚向後飛去。

眼前又黑了下來。

義弘看了看真魚，正要說話，真魚卻說：「沒有了。」

真魚說完，海裡瞬間變得一片漆黑，如他們不是人魚，一定很不習慣。

真由不看也知道，在他倆各自使出「活水」的時候，妹妹已經悄悄運用了「倍化」，把餘下幾條實體光魚驅趕得遠遠的。

喬亞與沙甸魚群靈肉相通，當然知道外面的情況，在光魚都被趕走之後，沙甸魚群也潛回喬亞的體內。

真由問：「你們沒事嗎？」

溫妮雅說：「沒有事，只是被很多光魚穿過身體而已。牠們為什麼會變成幻影呢？」

「我們也不知道。」真由問喬亞，「你有什麼看法呢？」

喬亞卻沒有說話。

真由三尾人魚當然不會知道，那些沙甸魚與喬亞靈肉相通，只要牠們回到喬亞的體內，牠們剛剛受到的傷害都會回到喬亞的身上。

溫妮雅亦當然沒法得知，幾條較大的光魚是實體，牠們加起來的衝擊力恐怕只比巨大八爪魚他古輕微少許。她以為喬亞只是釋放得太多沙甸魚太累之故，她仍然記得在結界內，釋放二百頭聖獸對喬亞已經是沉重的負擔，何況剛剛那是當時的數十數百倍？

所有的傷痛就只有喬亞自己知道、自己承受。縱使多親密的人，也沒有辦法分擔。喬亞忽然很想念師兄和師姐，這個世上能夠徹底明白他的，讓他安心的人，恐怕就只有他倆。

「我們快點離開這裡！牠們又來了。」義弘大叫一聲，鼓足全身氣力。一個巨大旋渦包圍了他們。接著數十道光芒穿破旋渦，直撲向他們。

不，仔細一看，那些光魚化成的光芒統統朝著一點撞過去。

是喬亞？

不，是喬亞的手？

也不，是喬亞手上的東西。

「是那頭盔！」真由大叫，「快點棄掉它……」

她話也沒有說完，喬亞左手一鬆，頭盔徐徐往海底沉下去。

那些光魚果然是為了頭盔而來，實體的、虛幻的，都朝著頭盔游了過去。

原來一切都源自囚禁吸血魔的頭盔。

——吸血魔、光魚、頭盔，還有洞內的構造，忽然間就像巨大謎團團團包圍著他

們。

「義弘，你用旋渦幫我開路，我去拾回它。」真由說。

義弘說：「不可以讓你冒險，也不能傷害牠們。而且你帶著頭盔的話，可以逃去哪裡呢？回水都嗎？如果那些光魚撞擊水都……」

「去吧。」喬亞指著海面說。

「天空？」

大家還沒有弄清楚喬亞的想法，他已經遞出右手，黑龍劍立時長出了四肢和雙翼，變成了巨大的黑龍。

黑龍與喬亞心意相通，直往水底的光團衝過去。

不一會兒，黑龍咬著頭盔，從他們身旁擦過，往水面游過去。

黑龍身後，無數光魚追著牠而去。

真魚嬌呼：「我來擋著牠們。」

一道無形的牆立時在黑龍身後架了起來，往光魚群壓過去。

實體的幾條光魚無法衝破水牆，一直往水底沉過去，連帶牠們虛幻的分身也被波及，迅速消失在他們的眼底。

黑龍穿過水面，朝天飛起。

「成功了！」真由大叫。

喬亞臉色卻非常難看，眉頭皺得極緊。溫妮雅沒有說話，只是用右手輕輕托著喬亞的背部，不讓他往水底沉下去。

真魚看了他們一眼，即說：「姐姐，我和他們拿著頭盔到附近的陸地，你們先回水都報告情況，再來找我們。」

真由說：「我不會跟你再分開。」

真魚說：「姐姐。」

義弘說：「你們一起去，我回去報告。」

真由、真魚同時看著義弘，義弘說：「送你們往天空，應該是我的『活水』最管用吧！」

義弘不等待他們回答，幾道旋渦頓時從他們的腳底、尾鰭升起，將他們不斷往上推。

「蓬、蓬」幾響後，喬亞、溫妮雅、真由和真魚同時離開水面，往天上飛起。

「你這混蛋真衝動！」真由一臉怒氣。

「實體的光魚一共有五條。」真魚卻大叫。

她們兩姐妹也不理會義弘是否聽到，只管叫喊。

真魚凌空翻了個筋斗，減輕去勢，返身躍入海裡。不一會兒，水面翻動，莫名地升起一個巨浪。真魚站在浪頭，迎向真由。

真由與妹妹交換了笑容，右手迅速按著浪頭，巨浪如鮮花綻開，變成一個巨大的碟子，剛好把要跌進水裡的喬亞、溫妮雅二人穩穩接著。

真由、真魚兩尾人魚同時拍拍身上的短裙，尾鰭迅速變化，各自化成兩條修長的人腿。

她倆穩穩站在碟子之上，迎著海風，紅髮披散，好不威風。

溫妮雅看見這兩姐妹的配合，終於明白她們為什麼要一起出動，而且敢說在水裡她們誰都不怕。

喬亞卻不是這樣子想，他的想法是人魚族越厲害，就越顯得紀康那叛徒的可怕。能令一切歸於「無」，那「活水」越厲害，越體現不能使用的糟糕。倘若連手鐲也沒有，眼前這兩姐妹也不過是普通的魚兒吧！

「牠飛得真高。」真由抬頭看著黑龍在半空不住盤旋。

真魚看著黑龍，又突然想起別的事情，記得小時候與姐姐偷偷離開水都，游近岸邊，看著漫天的海鳥。

「如果我們是鳥，你說多好呢？」真由說。

真魚的第一個想法是鳥不斷在天空飛翔，不累麼？累了的話，要在哪兒休息呢？她喜歡被海水包圍的感覺，像被母親抱著一樣，很溫暖很安全。

「你想做什麼呢？」真由忽然問。

「水吧！」真魚不經意地說。

「牠們又來了。」溫妮雅的話打斷了真魚的回憶。

真由低頭一看，水底果然越來越光亮，禁不住罵了一聲：「牠們真是不死心，幸好，我們在水上。」

「但附近沒有陸地，黑龍能飛多久呢？」真魚的眼波從黑龍的身上收了回來。

喬亞尚未答話，幾十條細小的光魚飛離水面，朝著黑龍飛去。真由大叫，正想再使出「活水」，真魚卻搖搖手，說：「牠們是分身。」

幾道較大的黑影在碟子下不斷游弋，沒有躍離水面。

「這些分身到底有什麼用呢？」真由皺眉說，「難道是要浪費我們的氣力嗎？」

沒有人回答真由，他們都只能眼巴巴瞧著飛離水面的光魚擺脫魚類的局限，像飛鳥般衝向黑龍。

牠們穿過黑龍的身體，沒有造成任何傷害。對於眼前這種沒有意義的攻擊，各人都不知道該給什麼反應才算合情理。

突然，碟子往上彈起，一頭光魚竟然從水底撞擊碟子。

眾人被拋了起來，又往碟子跌下去。

「糟糕了，再被牠們撞擊，盾牌抵擋不住。」真由說完，溫妮雅才驚覺承載他們的不是碟子，而是一個巨大的盾牌。

這邊廂不好過，黑龍那邊廂又似乎不甘被光魚滋擾，仰天一記長嘯，往喬亞他們撲飛下去。

「我先走一步。」喬亞往上一跳，剛好落在黑龍的利爪之上。

真由臉色一沉：「又來一個衝動的傢伙。」

溫妮雅說：「我也去。」

黑龍在天上繞了一圈，想再飛近盾牌。五條實體光魚竟然一同撞擊盾牌，把溫妮雅撞得飛上半空。

真由大叫：「妹妹！」

真魚右手在唇上一抹，翻起巨浪，在盾牌和光魚之間生起一道無形的牆。可是五條光魚鼓足力氣，一口氣衝破無形的牆。其中一條光魚甚至躍離海面，往黑龍飛去。

「大家小心。」真由按著盾牌，正要把它「武化」成其他武器。海浪又再次升起，把她們又拋得高高的。

喬亞心知再被光魚多撞擊幾下，黑龍與自己均未必可以抵擋得住，吸了口氣，黑龍急拍雙翼，飛得越來越高，也越來越遠。

海面漸次平伏下來，溫妮雅她們看見黑龍慢慢飛遠，漸漸變成小黑點。

五條光魚似乎有追蹤能力，捨下盾牌，一起往黑龍消失的方向游去。

溫妮雅和真魚對望一眼，都看出對方的心底想法——

牠們一定會追到喬亞。

「姐姐！」真魚大叫。

「知道了。」真由右手一揚，幾條水造的繩索立時揚起，往五條光魚的身上套過去。盾牌立時被光魚帶動，往前移動。

真由暗覺諷刺，剛剛的敵人現在卻變成了「同伴」。

溫妮雅看著火速游動的光魚：「牠們應該是被人施了『法術勢』，必須追著那頭盔。」說完後，卻隱隱約約覺得不妥當，在「法術勢」之中，只有「術」的「御獸術」、「幻獸術」等能操控動物、聖獸，但施術者一般要在附近，很少能像喬亞那種術式，可以任由動物離開自己活動。

——如果對方的能耐不是比喬亞更厲害，就是……

——莫非……

「光魚內有人嗎？」溫妮雅說出了一個大膽的假設。

「什麼？」真由嚇得精神一鬆，登時有兩條水繩斷了，盾牌亦隨之傾斜，溫妮雅站得不穩，差點兒跌入海中，幸好真魚及時反應過來，也不見她臉色有何變化，海面突然波動起來，不讓盾牌斜向某一面。

真由乘時射出兩條水繩，綁回兩條光魚。

「對不起。」真由急說，「你的話太嚇人，如果光魚體內有人居住的話，那人豈非活了跟德古拉差不多歲月嗎？」

「或許他跟他古一樣，世代相傳。」溫妮雅猜測。

「牠們體內沒有人居住。」真魚說，「我的『活水』沒有感覺到有任何人在牠們的體內。」

「但誰人可以控制牠們呢？」溫妮雅說，「黑龍已經把頭盔帶至半空，若非有人命令牠們，牠們不會如此鍥而不捨。」

「如果這個命令是打從一開始就存在呢？」真魚說。

溫妮雅本來想說這實在很荒謬，但眼前能活差不多二百年的人魚族，還有屍邪鬼、人狼王等都是超越人類認知的存在啊！

——假如命令真的打從一開始就存在，是誰下達這個命令？又是人魚的祖先阿塔加蒂嗎？

「你們站在邊緣，跌入海裡就自行游過去，我不會救你們的。」真由嘗試緩和大家的情緒。

溫妮雅退至盾牌的中心，暗想真由不但可以「武化」盾牌，更能同時操縱那五條水繩，能力果然非比尋常。假如當日她有足夠的水，應該不會被人狼王、屍邪鬼有機可乘。

真魚坐了下來，緊緊盯著姐姐，生起佩服之心。在黑龍劍內養傷期間，真由一直沒有停下來，反反覆覆思考所有「武化」的可能性；康復後，更不斷逼迫自己，變出更大型、更多的武器。

——她必定會一雪前恥，捉回雷克蘭和納西斯！

第二十八章　第九惡

如果牠們不是普通動物，
那麼就只有一種解釋。

天色已經不再是陽光燦爛的模樣，右面的天空漸漸有了層次，慢慢地有了不同的色彩，相信再過不久，天空會換成全然的黑。

「這些光魚果然也是怪物。」真魚沒由來地說。

「什麼？」真由錯愕地問。

真魚站在真由的身旁，說：「已經過了這麼久，牠們氣力仍很充沛，速度沒有減下來。」

真由點頭：「任何動物也有筋疲力盡的時候。」

溫妮雅走到她們的身後，剛巧聽到「筋疲力盡」四個字，腦海頓時升起一個極不吉利的場面——喬亞與黑龍同時力盡，從半空直墮海中心。

「除非牠們不是動物。」真魚往溫妮雅看過去。

溫妮雅立時想到喬亞的生命能量也沒有辦法製造牠們。

「而且牠們還會製造分身。」真魚續說。

「牠們能夠活動，不可能是植物。」溫妮雅也說。

「如果牠們不是普通動物，那麼就只有一種解釋。」真魚吞了口涎沫，忽然覺得口腔內的是師父美依的「活水」，黏黏稠稠，卡了在喉頭。

溫妮雅看著真魚，真魚也看著溫妮雅，大家都沒有說下去。

反而真由性子急，忍不住問：「到底是什麼？」

真魚、溫妮雅異口同聲地說：「九。」

「九？」

「老九。」真魚說。

「老九？」真由腦筋一時沒有轉過來。

「德古拉是老大。」真魚說。

真由皺眉說：「沒有可能吧，若真的如此，祖先沒有可能不說出來，而且還有雷克蘭他們，也應該會指出牠們的身份。」

「如果不是第九惡，那麼牠們會是什麼呢？」溫妮雅說。

真由聳聳肩，說：「天底下有很多事都解釋不來，譬如祖先的技術為什麼這麼先進，但我們卻什麼都不知道呢？」

溫妮雅腦海忽然冒出一個很重要的想法，說：「你們有文字嗎？」

真由和真魚同時露出訝異的神色，說：「當然有，但我們不大依賴它們。我們有事也會當面說清楚。」

溫妮雅感到頭昏腦脹，暗想：人魚族的技術這麼先進，為什麼不用文字記載下來，而是用說話代替呢？當中一定有問題，如果比尤姬嫂嫂在這裡，必定能看出問題的所在。哥哥、嫂嫂他們回到王都了嗎？他們看見自己久久沒有回去，是否很擔心呢？

——不，現在不是想哥哥他們的時候。

「黑龍能夠飛多久呢？」真由遙望著無邊際的穹蒼。

溫妮雅搖搖頭，真魚則說：「以喬亞的性情，一定會堅持下去，飛多少天也不是問題。」

真由說：「最近的陸地在黑龍飛去的方向嗎？」

真魚說：「應該在東面，以黑龍的速度，至少要飛五天。」

「但黑龍一直往北面飛。」真由說。

「他不熟悉這一帶。」真魚說。

溫妮雅問：「王都在哪兒呢？」

真魚往左方指去，說：「應該在西面，要八天時間。」

「北面呢？」溫妮雅急問。

「至少十五天。」真魚皺眉說。

真由輕咳了一聲，說出了溫妮雅最擔心的事：「他夠體力嗎？」

「飛五天應該沒有問題。」溫妮雅說，「能通知他嗎？」

真魚搖首說：「牠飛得實在太快。」

「『活水』能通知他嗎？」溫妮雅說，「你們不是『千里眼』嗎？應該也有『傳音』的能力吧？」

真由說：「縱使有『傳音』，但誰把『活水』運過去呢？況且我沒有聽過這種能力。」

真魚像想起了什麼，突然抓了抓赤紅的長髮。

真由說：「你想到什麼呢？」

真魚指著眼前五條光魚，嘴角向上，差點笑了起來。

溫妮雅看著那五條光魚，終於想到是什麼事了，也忍不住笑了出來。

真由皺眉說：「你們兩個發現什麼呢？」

「會對付那傢伙的就只有這些光魚，只要他遠離牠們，就可以收回黑龍。」溫妮雅說。

「他戴著我族的手鐲，在水裡活多久根本不是問題，只要他肯吃活生生的魚。」真由說。

溫妮雅卻想，以喬亞這麼多怪念頭，應該會變出一些奇怪的生物，向她們報告他的情況，會是蜜蜂？螢火蟲？抑或一條鯨魚呢？

真由轉頭看著溫妮雅，問：「你吃生魚嗎？」

「吃生魚？」溫妮雅臉色要有多難看就有多難看。王都裡從來沒有人會吃活生生的魚，縱使醃製了的魚都需要經過烹調。

「姐姐，你不要再戲弄她。」真魚說完，瞇起雙眼，聚精會神起來。

不久，這一帶海域突然翻起巨浪。

盾牌搖晃得很厲害，溫妮雅頓時感到不對勁，連忙蹲了下來。

「你吃牠吧，人類應該會覺得挺美味。」真魚不知道何時手中多了一物，細心一看，竟然是幾顆不知名的貝類。

溫妮雅頓時放下心頭大石，王都確實有生吃貝類的習慣。如果自己也能吃得下，喬亞應該不是問題。他應該不會活生生餓死吧？

「你們呢？」

「我當然也吃這些。」真由說，「妹妹吃海草就可以。」

「原來你吃素。」溫妮雅說。

「素？」真魚愕然地說。

溫妮雅連忙解釋，好讓真魚能早點知道人類世界的事，日後追擊紀康、吸血魔也會更有把握。真魚聽得津津有味，不住問這問那。

溫妮雅說著，忽然生起感激之心，如果只有她一人，她一定滿腦子都在擔心喬亞，現在有真由兩姐妹相伴，確實能令她分神，擔心也減半。

不過她又想起一件事：「如果我們要追著黑龍這麼多天，你不需要休息嗎？」

真由挺直身子，說：「我的體力在人魚族中是最強壯的。」

真魚說：「放心吧，到時候我就揹著姐姐，一起游過去。」

「誰要你揹？你們還是快點休息，夜晚的大海是很美麗的。」

溫妮雅點點頭，與真魚並肩躺在盾牌的中心。

天色已經變得灰灰暗暗，黑夜即將來臨。要過多少個天明，她和喬亞才可以再遇呢？

——這傢伙，明明答應不離開我。

——不過按當時的情況來看，他應該沒有其他辦法吧？

——以當時的情況，他只能越飛越遠吧！

溫妮雅邊為喬亞想藉口，邊看著天色完全黑透。

星星露出了光芒，不過光魚的光顯得更光亮。

溫妮雅坐直身子，隱隱約約看著前頭的光芒，竟然生起溫暖的感覺。

突然歌聲響起，溫妮雅瞟視著身旁高歌的真魚，她屈膝而坐，不知道什麼時候雙腳已變回尾巴。在星光之下，真魚渾身銀光，碧綠的眼睛更閃亮得如寶石一樣。

「很美。」

溫妮雅說完，想到人魚族果然很喜歡唱歌，難怪傳說有提及他們的歌聲：

「經過的船隻／只能垂下旗幟／靜靜地等待你的歌聲／引領他們穿過／暴風雨下的狂潮」

——歌聲能帶人們離開暴風雨、狂潮，但能夠帶領她們找到喬亞嗎？

受到真魚的影響，真由也開始用腳踏著拍子。溫妮雅淺淺一笑，雖然不大懂得真魚在唱什麼，或許遲了半拍，也跟著哼起調子。

——喬亞、哥哥他們都在就好了！

溫妮雅又想到那一個被真由、真魚在人狼王手底救回的夜晚，自己跟喬亞在河邊一起的情景，那時候她想到如果時間可以靜止是多好啊。

突然，盾牌急急剎停，往上拋起，把她們拋上了半空。

「什麼事？」真魚、溫妮雅看不到前頭的情況。

「我也不知道，可能是累了。」真由說完，她手上的水繩也變回了普通的水，落入大海之中。

「累了？」溫妮雅站了起來，見幾條光魚像喪失了目標，完全靜止下來。

「我去看看。」真魚翻身躍入水中。

「小心點。」真由說。

真魚游近幾條光魚，牠們回復了當初的溫馴。真魚來回撫摸牠們的額頂，牠們顯得相當柔順，沒有半絲抗拒的神情，更沒有露出利齒。

真魚當然暗喜牠們恢復過來，但心底同時冒起一陣寒意。

五尾光魚是追著拿著頭盔的喬亞和黑龍，卻突然沒有任何反應，但又不似力盡，喬亞那邊到底發生了什麼事呢？

「怎麼了？」真由見妹妹這麼久也沒有回來，收起盾牌，與溫妮雅一同游到她的身旁。

「我也不知道。」真魚碧眼投向溫妮雅，看出了她的慌亂。

溫妮雅沒有說話，如果喬亞真的遇到意外，她也不想由自己說出來。

還是真由先恢復過來，強顏歡笑地說：「難道喬亞已經著陸了？」

——但這一帶不是沒有陸地嗎？

溫妮雅眼中的慌亂變為不安。

「可能遇到人類的船隻……」真由說，「不妥，這些光魚連飛上半空的黑龍也想打下來，不大可能隨便放棄。」

「或許還有另一個原因。」真魚說。

溫妮雅、真由同時露出詢問之色。真魚抬頭看著閃閃生輝的星空，說：「黑龍可能已經飛出了光魚可以追蹤的範圍。」

溫妮雅附和說：「我明白，獵狗的嗅覺雖然靈敏，不過不能嗅到過遠的獵物。」

真魚不知道獵狗是何物，但也大概猜到是什麼一回事，輕輕地用右手點了唇邊。

溫妮雅暗想這動作應該像人類點頭一樣，是表示認同的意思吧。

真由說：「我們先別太擔心，喬亞這麼強，除非遇上雷克蘭他們，否則不會有意外的……」

真魚搶著說：「姐姐……」

真由看見溫妮雅、真魚的臉色，立即明白她們的想法，說：「放心吧，雷克蘭、納西斯和艾基特林都不會飛。」

——吸血魔呢？

溫妮雅立時想起端芮這個近乎無敵的傢伙，一種不祥的預感登時冒了起來。

「放心吧，海洋這麼大，不會這麼巧合的。」真魚說完，生起異樣的感覺，她表面在安慰溫妮雅，實際上是說給自己聽。

「你們認得黑龍飛走的方向嗎？」溫妮雅問。

真魚再用手指點點唇邊，說：「我一起去。」

真由額角的皮膚一緊，露出了青筋，疑惑地說：「黑龍是會拐彎的、繞道的，你們應該明白我的意思。」

她們當然明白真由的意思，黑龍拐了彎的話，她們根本沒法追到牠的。

溫妮雅說：「你們有什麼方法呢？」

真魚沉思了一會兒，說：「姐姐，你在這裡陪同光魚，希望牠們有新的動靜。我們則朝著那方向游去。」

真由說：「我怎樣通知你們呢？」

真魚說：「不用通知，義弘應該已經把一切告訴師父，搜索隊早已出動。」

真由暗想水都裡有本事的不是像自己與妹妹去了追捕雷克蘭他們，就是派去追蹤德古拉，很難組成大型搜索隊。茫茫大海，要找上她們，可能要用上數月時間，正要說話之際，真魚已先一步用右手按著左耳。她立即明白過來，真魚的手勢是「再見」的意思，即是她再說什麼也沒有用。

真由頓時覺得好奇，這個妹妹平日十分冷靜，為什麼這一刻會如此不顧後果呢？

突然，真由眼前一花，像看見兩個真魚出現在眼前。

她搓搓雙眼，才發現另一個真魚是溫妮雅。雖然溫妮雅沒有尾鰭，但看起來，她就像真魚的分身，或者換過來說真魚就像她的分身。

她倆都沒有向真由道別，只擺動身體，就迅速游走，留下了她與幾條光魚。

她瞧著幾條光魚，暗暗苦笑，但又知道留不下她倆。況且她也早已筋疲力盡，睡意甚濃，她翻身上了一條光魚的背上，說：「你們到底是什麼傢伙呢？」

說完，她闔上雙眼，沉沉地睡去。

沒錯，她雖然自稱體力驚人，但要維持一個大盾牌和五條水繩這麼久，真的需要龐大的集中力。剛才在妹妹與溫妮雅面前，她苦苦強撐，現在跟她們分開，疲累一下子就把她擊倒了。

——希望醒來時，你們這些小傢伙會帶我去找喬亞啊！

第二十九章　我何時見過

師父說過在一條被山賊屠殺的村莊找到我，
我也確實記得那時候的情景，
但再之前的事我為什麼忘記得一乾二淨呢？

喬亞才坐上黑龍的背上，就感到右邊臉頰有點痛，已想像到再遇上溫妮雅時她會狠狠地摑他臉頰一巴掌，責罵他不守承諾。

但形勢實在太兇險，在溫妮雅、真由他們的眼內，應該沒法感受到那些光魚的威力。他們的眼波頂多被那些虛幻的魚兒所吸引，而不知道那幾頭光魚的撞擊力有多猛烈。

當那些沙甸魚回到喬亞的身上，那份痛絕對不比雷克蘭那頭人狼王的撞擊來得輕，他覺得這種痛似曾相識，就像被穿了鐵甲的士兵撞擊一樣。

——牠們的皮膚怎會這麼堅硬，這是活了千年的死皮嗎？

喬亞按著右臉頰，忍不住笑了，竟然把從沙甸魚身上承受的痛楚幻想成溫妮雅的巴掌。

他本想再讓黑龍低飛多一次去接應溫妮雅，但看著滿佈光芒的海面，就不敢再有任何奢望。只要多撞擊十數下，他就會昏過去，黑龍雖然可以帶著他們飛走，但這黑龍的性子比自己更硬，說不定跟上次一樣，不肯離開，戰至最後。他已經不想再困在黑龍劍之內。

黑龍越飛越高，下方隱隱約約傳來溫妮雅的聲音：「——等——我！」

喬亞穩定心神，輕輕撫摸著黑龍的背部：

「老朋友！去吧！」

黑龍受到鼓勵，越飛越快，也越飛越遠。

喬亞回頭，看著在盾牌上漸次縮小的溫妮雅她們，心裡默念：「你們要保重。」

「只要飛到陸地，那些傢伙應該不會追過來。」

可是四周是茫茫大海，天與海相接，蔚藍與深藍，根本看不見任何陸地。

「看來多飛一會兒後，要把黑龍換成其他夥伴才可以。」喬亞瞇起雙眼，默默地坐著，希望盡快消滅痛楚。

喬亞口中唸唸有詞：

「一、二、三、腳趾……」

「一、二、三、四、五……」喬亞悄悄地說。

克遜問：「你在做什麼呢？」

喬亞說：「我在數數字。」

阿芙拉知道喬亞不會輕易說出原因，只好追問：「為什麼呢？你是在數說被師兄和我打倒的小動物數量嗎？」

喬亞搖搖頭，看著坐在一旁的大賢者，遲疑了片刻，才說：「那些小動物回到我的體內，我感到有點痕癢，就想做點事分散注意力。」

克遜與阿芙拉看著對方，心裡同樣冒起「很痛」的感覺。喬亞是極能吃苦的小子，怎會怕小小的「痕癢」呢？

克遜咬咬牙，帶著淚光，他是打得那些小動物剪影最多的一個，也是最用力的一個，當然明白喬亞要承受多大的痛楚。

克遜扭著喬亞的脖子，說：「我們先去村莊看木偶劇，再去游泳。我是游泳能手，一定會教懂你的。」

喬亞有點羞怯怯地回頭看著大賢者，大賢者輕輕地點頭。

克遜說：「師妹，你去嗎？」

「我還要練『精靈法則』。」阿芙拉淺淺一笑，待克遜拉著喬亞走遠，悄悄地跟大賢者說，「可以教師弟更有效的減痛方法嗎？」

喬亞還沒有聽到大賢者的答案，已經離開了師廬……

「……腳趾、小腿、膝蓋……」

喬亞默唸腹部的時候，痛楚已經消減了泰半，隱隱約約記起那一天的片段，可是卻記不起後來的情況。他只記得從某天開始，數完一、二、三後，他習慣地從腳趾起默念，然後到小腿、膝蓋，再然後是身體、雙手的各部位，最後是五官、頭髮。當他感受完身體所有部位後，就能徹底忘掉身上所有的痛。

數數確實是喬亞自己想出來減輕痛楚的辦法，但如何轉變成掃描自己身體的部位，他已經記不起來。

——到底是師父，還是師姐教曉我的呢？

喬亞暗覺好笑，連忙收拾心神，回頭再看不到溫妮雅她們的蹤影，天與海之間，只剩下他和黑龍。

「你用不用休息呢？」

黑龍仰天長吼，示意自己仍然力氣十足。

「好吧，讓你再多飛一會兒。反正，也不知道擺脫了那些傢伙與否？」

喬亞心念一動，黑龍頸項一縮，把頭盔拋上高空。

他接過頭盔，定睛看著它。這頭盔跟一般士兵用的頭盔差不多，也是金屬打造而成，沒有什麼獨特之處。

喬亞越看越覺得不可思議，那些光魚為什麼對這平平無奇的東西窮追不捨呢？而且還有毫無殺傷力的分身，到底是什麼一回事呢？

——如果那些光魚跟他古一樣是守衛，牠們的行動應該是針對吸血魔而來的，難道擾敵之後，由實體的光魚撞擊他？

——不，應該有更「特別」的地方。

——他古是屍邪鬼的剋星，應該與牠的能力有關，但到底是什麼呢？

——我當日不是已經製造過八爪魚，牠跟他古的能力應該相似，為什麼還會失敗呢？

——難道是地利的因素？只有在那山洞內，他古才能發揮威力，就像真魚只能在密封的環境內才可以用水壓擊暈對手嗎？

——真魚如果有能力控制兩團水，同時「倍化」，不是能製造出山洞的效果嗎？

——即是只要再遇上屍邪鬼，我變出他古，她利用「倍化」應該可以輕易收拾屍邪鬼。

——怎麼我好像忘記了一件很重要的事呢？

「黑龍，你知道是什麼嗎？」

黑龍當然沒有答他，只是默默地飛行。

喬亞看著黑龍闊大的背部，突然記起自從被師父收養後，從來沒有見過這麼巨大的八爪魚。但為什麼在謀算對付屍邪鬼時，自己毫不費勁就想起八爪魚呢？

——難道我小時候曾經見過他古？

——師父説過在一條被山賊屠殺的村莊找到我，我也確實記得那時候的情景，但再之前的事我為什麼忘記得一乾二淨呢？

——當日為了照顧溫妮雅，我沒有看清楚洞內的環境。現在去看看，説不定有新發現。

「黑龍，我們回水都看看。」

黑龍來個大轉彎，喬亞卻心神不定，差點把頭盔掉到海中心。他覺得頭盔有點礙事，把它套了在頭上……

「呀！很痛。」喬亞大叫一聲，自黑龍的背上跌往海面……

「你終於回來了。」

喬亞聽到一把奇怪的聲音，張開雙眼，卻看不到任何東西。

四周漆黑一片，喬亞第一個想法是自己盲了。

——難道是那頭盔的能力？

喬亞往頭上一摸，卻只摸到頭髮，摸不到頭盔。

「老朋友，你這次睡得特別久。」

——老朋友，什麼老朋友呢？難道我又在黑龍劍內嗎？

這把聲音很奇怪，完全不像人類的聲音。他說的每個字都字正腔圓，十分標準，但喬亞聽起來，卻十分冰冷，沒有半絲溫暖，有點像表演木偶劇時，演員刻意扮出來的怪聲。

「你不說話也不要緊，我會一直陪伴你。」

「你到底是誰？」喬亞本來想再聽下去，但還是忍不住問。

「什麼？你睡得太久了嗎？」

「我應該不是你要找的人。」

「人？你是人魚族嗎？你放走了他嗎？」

「我不是人魚族。他又是誰呢？」

「你別騙我，不是人魚族，不可能來到這裡。」

「這裡是什麼地方呢？」

「你到底是誰？」

喬亞一面跟他對話，一面覺得好奇，依他們的對話發展，他應該極生氣，但無論語氣、語速，他都十分平穩，不愠不火、不徐不疾。他的話由始至終都極平淡、平實、一致，也沒有溫度。

——很冰冷。

「這應該是我的問題吧，我只是戴上頭盔，就來到這裡。」

「他到底在哪裡？」

「他是誰呢？」

「你不知道他。」

喬亞暗自揣測，對方一直說「他」，又不肯表露身份，除了「人魚族」三字外，就再沒有透露過任何有用的信息。

喬亞吞了口涎沫，想像自己是阿芙拉，會如何套對方的話後，終於決定打破缺口：

「你是指德古拉嗎？」

「你果然是人魚族。」

「我不是人魚族。」

「不是人魚族，沒有可能游到囚禁之地，也不可能來到這裡。」

「我也不知道自己為什麼來到這裡，而且我什麼都看不見，我只聽到你的聲音，四周漆黑一片。」

「這是正常的，如果我不讓你瞧見，你什麼也不會看到。」

「你是神嗎？」

喬亞只想到這個答案，說完也覺得自己笨拙得無可救藥。

「我不是神。」

「那你是誰呢？」

對方沉默不語。

喬亞已經隱隱約約猜到對方用的套路，對方不斷套他的話，而又不肯透露自己的身份，或許對方跟自己一樣，也不是知道得太多。

想到這裡，喬亞反而更為鎮定：「你仍在嗎？」

對方沒有答話。

「你走了嗎？」喬亞說完，一道強光射進他的眼內，他伸手擋在面前。色彩自指縫

透進來，漸次有了形狀。喬亞放下右手，立時覺得一切都顯得不可思議。

他絕對敢肯定上一刻自己是騎在黑龍的背上，一人一龍在碧海之上，藍天之下。

但現在眼前的卻是烈陽高掛，茫茫黃沙，不要說海洋，連一滴水也沒有。

——我是怎樣來到這裡呢？

「你在哪裡？」喬亞吶喊。

「我一直沒有離開過。」又是那把沒有感情的聲音。

「但我看不見你。」喬亞低頭看著腳底的黃沙，暗想在「法術勢」之中，應該只有「土之精靈法則」能夠呼喊黃沙，但絕對不可能在無聲無息之下把大海填滿。而且……

——黑龍在哪兒呢？

地上沒有影子，即黑龍不會在天上。牠變回劍嗎？

喬亞吸了口氣，嘗試與黑龍取得聯繫，但得不到任何回覆，顯然黑龍並不在附近。

「你是看不到我的。」對方答。

「為什麼呢？」喬亞說。

「我根本不存在於這裡。」

喬亞吞了口涎沫，隱隱約約已經有了個答案。對方說自己不是神，那麼就只有一個解釋。

喬亞打開左手，暗暗讓生命能量聚集，不一會兒，露出失望之色。

「我已經死了嗎？」喬亞問。

「你沒有死去。」對方肯定地說。

「能夠把我帶到另一個世界，除了死亡，我想不到其他解釋。」喬亞當然沒有說出他剛剛已經試過，想召喚體內一兩隻小動物，可是他那奇怪的體質沒有給予反應。小動物沒有出來，又不能與黑龍取得聯繫，他只想到一個原因，那就是他的軀體不是原來的，又或者他根本沒有軀體，那麼他只想到死亡。

「這是你意識的世界。」對方終於透露多一點。

「意識？」喬亞想不到是那一回事。

「你可以當作夢境。」

「夢境？這不大可能。」

「為什麼不可能是夢境？」

「因為你是完全獨立於我的想像而活。」

「假如我入侵了你的夢境呢？」

「那頭盔幫助你入侵德古拉的夢，然後制衡他，令他逃不掉嗎？」喬亞猜測說。

「我早說過你是人魚族，否則不會這麼清楚。」

「因為我戴了手鐲。」喬亞摸了摸手臂，發現手鐲並不存在。

「那麼你到底是什麼生物呢？」

「你看不見我？」

對方沒有說話。

「我是人類。」

「你不可能是人類，人類是沒法來到這裡。只有『被選定的』，才能產生共鳴。」

喬亞漸漸接觸到重點，問：「『被選定的』是指『八大惡』嗎？」

「你真的是人類，只有人類才會用這個稱呼。難道人類已經進化到可以擁有人魚的體質嗎？」

「我也不知道，我不像他們活得這麼久，不知道從前人類是什麼模樣。」

「德古拉沒有殺你嗎？」

「他逃走了。」

「他找你做替死鬼，你仍在山洞嗎？」

「你知道那些光魚嗎？」

「你已經離開海洋？」

「我正在半空。」

「你成功了。」

——成功？

喬亞還沒有明白過來，眼前的景象迅速退去。

他的腦袋一實，好像聽到對方再說了一句話，但他完全反應不來，眼前已然變得全黑，再定過神來，急速的下墜力讓他知道自己已回到本來的世界。

喬亞正自半空墮下，但他並不擔心，只要回到這裡，牠一定在。

果然，一物在他正要撞入海面之際，及時咬住他的身子，再竭力往天上飛去。

「老朋友，謝謝你。」

黑龍揚揚頭，把喬亞拋回背上，繼續往上飛行。

喬亞摸摸頭盔，暗想一切都是與這個頭盔有關。

——難道有人在頭盔施展了「幻象術」嗎？但施術者是誰呢？

——任何「法術勢」的施術者都必須活在世上，術式才會有效。

——德古拉被囚禁了這麼久，施術者不大可能還活著，除非他也是「八大惡」。

——不，像人魚族的「活水」就是與「法術勢」截然不同的術式。

——剛剛他說「成功」是什麼意思？是指我「成功」逃離光魚的追捕嗎？

「你看見那個島嗎？」

那聲音切切實實從頭盔傳出來，不，不是從頭盔，而是剛才在異境中，對方說的最後一句話。

「那個島？」

喬亞暗覺奇怪，他老早已經查探過四周，根本看不見任何島嶼。但他還是乖乖站在黑龍的背上遙望過去，但無論是他，還是黑龍也沒有發現。

突然他看到海平線上有個小黑點正在移動。

——這是什麼一回事，剛剛黑龍只是原地拍翼，沒有飛行過，那小島不大可能會出現。

喬亞吞了口涎沫，有個大膽的想法。

「移動小島，天下果然無奇不有。難道它的下面是一頭靈龜嗎？老朋友，我們就去看看吧！」

第三十章　雪國異境

在星光之下，暴雪紛飛，她們只能依稀看到岸的輪廓、山的輪廓、樹的輪廓。

夜涼如水，溫妮雅雖然有手鐲之助，還是越游越心寒。

——我們真的能找到他嗎？

她很想問領頭的真魚，卻一直提不起膽子。她實在很害怕，害怕在真魚口中聽到失望的答案。

海洋是她不認識的國度，她還是近日才得知人魚族真的存在，還有水都、手鐲、「活水」，每一件事都不是她一個陸上人可以掌握。如果不是她親眼見過，還以為一切是神話、傳説，甚至是謊言。

真魚雖然在海裡過了四十多年，但還是首次感到如此無助。

——我們真的能找到他嗎？

她很想回首問背後的溫妮雅，卻一直沒有説話。她並不害怕知道答案，溫妮雅所有答案她都預計得到，她只怕沉默。

有時候答不上話，比有答案更來得令人害怕。喬亞雖然勇而有謀，又有黑龍劍、手鐲，但在偌大的海洋裡，他不過是一條海草，一旦沒入海裡，就會消失得無影無蹤。

真魚想到這裡，還是沒法安心游下去，擺一擺腰肢，在水裡拐了個彎，來到溫妮雅的面前。

溫妮雅瞧著她，她也瞧著溫妮雅，都在等待對方的答案，但她們都沉默不語。

還是真魚首先說：「你放鬆身體，我會利用『倍化』把我們推前。」

溫妮雅說：「但會消耗你的體力。」

真魚說：「如果我們兩個一起游動的話，遇上喬亞的時候可能已經筋疲力盡。你應該明白我的意思，你現在省回的體力是不會浪費的。」

溫妮雅右手按著唇邊，表示贊成。

真魚說：「你學得挺快。」

溫妮雅暗暗抽了口涼氣，確實她學什麼都比一般人快，但就是學不會「精靈法則」，如果她的「水之精靈法則」夠水準的話，就可以利用精靈去找喬亞。

——我能夠變成水又有什麼作用呢？

溫妮雅結起手印，口中唸唸有詞。

真魚也聚起精神，細聽溫妮雅的話，「所有水之精靈請聽我的祈求，雲集在我的誠心之下，讓我變成海洋的一部分，借用你們的耳目，打聽……」

真魚暗覺有趣，如果溫妮雅真的能變成海洋的一部分，眼界絕對比利德的「千里眼」有過之而無不及，應該可以很輕易找到喬亞。但真的可以說變就變嗎？

溫妮雅漸漸進入忘我的境界，感覺到水如何流動，皮膚怎樣跟水磨擦，她的意識慢慢地融入海水之中。

可是，觸感沒有為她帶來更多，她沒法看得更遠、聽得更遠，所有的感受都是來自身旁。

——看來我真的不是好材料。

「有了，你看。」真魚突然向她叫喊，她睜開雙眼，眼前依舊是那片海洋、那片星空，除了一顆向她們飛近的星星。

星星會飛嗎？

那不是星星！

「是螢火蟲！」溫妮雅激動得差點哭了出來。

喬亞故技重施，用螢火蟲通知她。

真魚把手伸出水面，那螢火蟲在她手上停了下來。

真魚感到絲絲溫暖，回頭看著溫妮雅。

溫妮雅卻萬分不願意地說：「弄死牠。」

「弄死？」真魚錯愕地說。

「牠會帶我們到喬亞的身旁。」

真魚明白溫妮雅的意思，輕輕一捏，一縷黑煙登時自她的兩指之間滲了出來。

溫妮雅利用手鐲之能力，聚精會神地在黑夜中尋找那絲絲黑煙。

「放鬆身子。」真魚說完，一道無形的勁力自溫妮雅背後升起，一直把她向前推。

溫妮雅、真魚順著水勢，追著黑煙，也不知道過了多久，她們的面前竟然有一團自海面至半空般巨大的黑雲。

真魚覺得奇怪，她以海為家，卻從沒有見過這麼龐大的黑雲。

「他在黑雲之內嗎？」真魚語氣滿是疑惑。

溫妮雅的內心卻更凌亂，眼前的真是黑雲麼，會否是喬亞的生命能量呢？實在太黑了，除非她們游進黑雲內，否則一切皆是猜測。

——穿過黑雲，就可以看見喬亞……

溫妮雅很想這樣說，但卻沒法說出口，她總覺得黑雲包圍著的不是如此簡單的東西。

真魚見溫妮雅神情凝重，也猜想事情不好辦。她瞇起雙眼，海面漸漸泛起了浪花。

真魚的「倍化」可以令水量增加，在密封的空間特別管用。然而在大海這種無界限、無邊際的地方，倍化後的水則可以化成浪頭。當日在山頭，她也是用這種方法，再配合地形，轟中納西斯。

真魚當然明白，「倍化」的力道比不上「武化」、「旋渦」等主攻招數。如果他們是武器的話，她就是製造武器的原石。不過，在當下，這一切已經足夠了。

浪捲起了，往黑雲撲過去。一個又一個浪頭，一次又一次伸出浪花之手，不斷往黑雲抓過去。

應該不用過多久，她們就能瞧見雲中的事物。

真魚不期望浪花可以完全驅散黑雲，雲本無形體，但她認為至少能綻開一條裂縫，透露出絲絲真相。

可是過了很久，黑雲依舊密密麻麻，只傳來沉沉的撞擊聲。

「黑雲像要保護很珍貴的東西。」真魚說。

溫妮雅已經忘記了使用人魚族慣用的手勢，微微地點頭。

在浪濤之中，真魚根本看不見溫妮雅的點頭，只好說：「如今看來，我們只能進去吧！」

「是的。」溫妮雅堅定地說。

——沒錯，與其在這裡細想，進去查探清楚是最佳的方法。

連刀山火海也阻不到她倆，區區障眼的黑雲她倆不會放在眼內吧！

倘若真的是刀山火海的話，真魚的「活水」應該大派用場，但如果是截然不同的地方呢？

真魚看見眼前的景象，才發現自己的「活水」也會有無濟於事的時候。

水的剋星是什麼，是火？錯了，是寒冷，瞬間把水凝固下來的寒冷。

她倆根本無法相信眼前的景物，穿過黑雲之後，她們看到的竟然是一座被風雪完全覆蓋的島嶼。

在星光之下，暴雪紛飛，她們只能依稀看到岸的輪廓、山的輪廓、樹的輪廓。

真魚不像溫妮雅，從沒有進入結界的經驗，難以相信黑雲分隔開的，一面是平靜的夜海，一面是風雪中的雪山。

她回頭，黑雲依舊，黑與白令她出奇地有點驚懼。她不怕他古、不怕納西斯、不怕雷克蘭，但他們人魚族與海為伴，因此她絕對明白大自然的可怕，暴風雪可以把他們輕易擊倒。

她也終於理解溫妮雅剛才的遲疑。不過，為了喬亞，她倆已經沒有退路。

她深深吸了口氣，心念一轉，腳下的水緩緩把她倆抬了起來，可是才把她們送至岸邊，還沒有到山腳，水瞬間失去威力，變成了點點寒霜，灑在地上。她咬牙說了一聲可惡，正要把「倍化」發揮至淋漓盡致，卻發現山上的雪、地上的冰都沒有膨脹的跡象。

她再回頭，發現黑雲漸漸縮細，海面慢慢消失在眼底。

高山、狂風、暴雪迅速包圍了她們，真魚的眉頭皺得非常的緊，她的「倍化」只能對水有效，冰雪是完全不聽她的使喚，正如水被煮成煙後，她也沒法令它倍化。

——看來連「蒸發」都不能在這惡劣環境中發揮效果！

溫妮雅說：「你在這裡等我。」說也奇怪，環境雖然如此惡劣，但她只有絲絲寒意。她禁不住看看手鐲，暗想定是它的威力。

「我也一起去，兩人一起找更方便……」不知道是風聲太大，還是真魚覺得有點冷，話聲漸漸變小。

溫妮雅說：「你不要緊嗎？」邊說邊想脫下手鐲。

「你自己用……」真魚又說，「人類是沒有辦法在這麼惡劣的環境下生存，其實水裡的氣溫也很低。」

溫妮雅知道很難勸服真魚，況且真魚也說得有理，倘若把手鐲脫了下來，自己真的未必可以在這雪山中生存下去。

「我們快點找……」真魚的聲音又被風聲捲走。

「如果他是坐黑龍進來的，可能會在山頂找落腳點。他之所以變出螢火蟲，應該是提示我們他就在這雪山……」溫妮雅看著山頂，也不知道是說給誰聽。

「喬亞真的在山頂嗎？這些風雪實在太礙眼。」真魚想著的時候，溫妮雅走近一棵樹，折斷了一條樹枝，作為防身工具。

她的傷勢初癒，本有喬亞、真魚等在身旁，又戴著可以讓她使用「水之術」的手鐲，只是去看看囚禁吸血魔的地方，根本沒有想過要動武，也因此沒有攜帶任何兵器。

她有點後悔，帶一柄劍，至少可以砍開擋路的樹枝。

「喬亞，你要等我們。」

她倆冒著風雪，漫無目的地走著。她們走了一會兒，溫妮雅覺得有點異樣，似乎聽到一把聲音在叫她。

「過來吧……」

她以為是喬亞，走了過去，才發現是一件「死物」，不，不能稱呼它做「死物」，至少在喬亞眼中，它是一柄可以稱呼做「老朋友」的劍！

溫妮雅剛才還在找可以使用的劍，可是當她看到眼前的劍卻不覺得雀躍。她眼前看到的是……

「黑龍劍！」真魚早她一步大叫，聲音比她的內心更抖顫。

雖說喬亞老遠就看見島嶼，但黑龍飛到附近的時候，夜幕早已低垂。

小島下面當然沒有靈龜，而且黑雲密布，根本看不見陸地，若非那人稱呼它做「小島」，喬亞只會稱呼它做黑雲海吧！

小島漆黑如墨色，帶著絲絲蒼涼和寂寞。

——那傢伙真的住在內裡嗎？真有這種世界嗎？

——不，這世上連結界、水都如此奇特的地方也有，有這種小島不是更合情更合理嗎？

喬亞深深吸了口氣，說：「老朋友，你可以休息了。」

他右手按著黑龍的背部，牠頓時變回黑色的劍。

沒有了黑龍作為立足點，喬亞馬上就要掉入海中心之際，他的背部飛出了一隻巨鷹。巨鷹在半空繞了一圈，奮力下飛，剛好抓著喬亞的背部，不讓他跌入海中心。

他遞出黑龍劍，百多隻小昆蟲登時飛了出來，除了最顯眼的螢火蟲外，其他黑漆如墨，又分散飛行，任對方視力多好，都不可能在黑雲之中瞧見牠們。

喬亞的想法很簡單，就是要對方專注在螢火蟲的身上，好讓其他昆蟲能夠順利潛入。

牠們從四方八面潛入黑雲，喬亞翻身踏在巨鷹之上，靜靜地等候消息。

他閉上雙目，希望再次潛入那個「夢境」，可是任他如何努力，甚至脱下頭盔後又再戴上，仍然沒有任何變化。

如果不是眼前這個被黑雲團團包圍著的小島，他真的以為剛剛發生的不過是一場夢吧！

在飛近小島的時候，喬亞已不斷嘗試把這陣子遇見的事扣連在一起。

對方應該是與「八大惡」有關連的人，甚或就是「八大惡」之一。

——他絕對不可能是屍邪鬼、人狼王，更加不可能是吸血魔。

——他不住説我是人魚族，難道他跟真魚他們一樣，也是人魚族嗎？他是人魚族的話，一切就説得通，囚禁吸血魔他們是人魚族的責任，因此他長期監視著吸血魔的行動，那頭盔就是工具，可以接通吸血魔或人魚族的思緒。

——頭盔應該不能連結人類的思緒，因此他才不斷説我是人魚族。看來是手鐲的能力，讓我擁有了跟人魚族相似的體質，才跟他聯繫上。

喬亞想通了所有事情，心也變得平靜下來。

雖然眼前的不知是福還是禍，但連黑龍劍體內也逗留過的他，這個世上還有他不敢去的地方嗎？

幾道黑煙自黑雲滲出來，喬亞舉起左手，讓它們回到體內。

喬亞咬咬牙，打了個寒顫，心想：「竟然是雪山，這個世界果然很廣闊。」

多想無益，喬亞心念一轉，巨鷹展翅，載著喬亞飛入黑雲之內。

喬亞說：「你在哪裡？」

對方依舊沒有回應，所有答案都只能等待他去追尋。

雖然他早已得知黑雲內白雪紛飛，但穿過黑雲後，喬亞還是無法藏著內心的驚訝。他曾經見過雪，但就是沒有看過這麼大的暴風雪。他還以為在半空風雪會減弱一點，可以讓巨鷹盤旋一陣子才降落。

不過，從旁邊撲擊過來的風雪，教巨鷹只能奮力地拍翼，勉強維持不被吹回黑雲之

內。

「你要考驗我嗎？」

喬亞咬咬牙，巨鷹潛回黑龍劍內，他自半空跌下來，往一處沒有樹木的空地跌過去。這不是海洋，跌下去必定粉身碎骨，但喬亞完全沒有當作一回事。

就在他快要撞到地面的剎那，巨鷹再次出現，但顯然下墜力太猛烈，牠雖然抓著了他的背，但一人一鷹還是朝地面跌過去。

巨鷹奮力地抓著他，但迅速力弱，一下子又化成黑煙。

幸好喬亞早料到如此，黑煙才回到劍內，竟然自劍身跌出一頭大象。

大象落在地上，發出一記巨響，喬亞順勢落在牠的身上，完全地著陸。

大象朝天慘叫一聲，化成黑煙，潛回劍內。

喬亞說了一聲抱歉，大字形跌在地上，若非他胸口悶痛，口中不斷噴出熱氣，他也不相信自己能活著。

巨鷹和大象的感觀回到他的知覺上，他四肢如遭割裂般炙痛，他又開始從腳到頭掃描身體一遍，減輕自己的痛楚。

「一、二、三……額頭、頭髮。」

說完。他坐了起來，發現身處的平地正好在幾個山頭之間。

呼嘯的風聲從四方八面湧過來，暴雪完全沒有停止的跡象，他呼了口氣，他算是成功進入了島嶼，但要如何找到聲音的主人又是個難題。

風雪橫飛，人類寸步難移，普通動物未必能抵抗嚴寒。他印象中只有一種動物可以在嚴寒下稱霸，但如果現在召喚了牠，一會兒對上強敵的話，他就沒有殺手鐧。況且經歷過與屍邪鬼大戰後，他深知道要懂得收放，要保留生命能量去召喚黑龍，並讓自己與牠同步。

——除了屍邪鬼外，應該沒有其他吸食生命能量的傢伙吧！

第三十一章 内鬨

這到底是什麼情況？
阿猶、阿達？
難道牠體內住了兩個人嗎？

暴風雪沒有停下的跡象，把喬亞的肩膀、頭盔都染成白色。

喬亞看了看手鐲，看來是它的功效，否則他一定受不住嚴寒。

他拍拍身上的雪，邊走邊想。

——只是一雲之隔，卻是兩種截然不同的氣候。雖然我能輕易穿越黑雲，但這裡無疑是另類結界。

——結界不會平白出現，一定是人為的。如果聲音的主人是施術者，他知道我來的話，一定會讓暴風雪停下來。

——暴風雪沒有停下來的話，就只有兩個原因：一是他想考驗我；二是施術者另有他人。

喬亞呼了口熱氣，心想無論是哪個原因，解決的方法都只有一個，就是要來次捉迷藏。他把黑龍劍插進身旁的雪地，量了量，雪的厚度竟然比黑龍劍的長度還要深，看來要走得更小心。

他按了按眉心，隱隱約約想到了方法。他咬咬牙，手背上的青筋冒起後又平伏下來。

「希望你們回來時，不會把我冷壞吧！」

喬亞拔出黑龍劍，找了個比較隱蔽的地方躲了起來。如果是跟他不熟悉的人，定然以為他避寒，只有熟悉他的人才明白，他不是一個甘願等待的人。如果能夠主動出擊，他一定不會等待。

沒錯，喬亞剛剛利用黑龍劍，把很多地鼠放進地底。

既然天空、地面也無法行動，唯一可以行動的地方就是地底。

這些地鼠嗅覺靈敏，一定可以找到奇怪的地方，譬如糧倉。

——他需要吃東西嗎？

想著，他也覺得有點肚餓，不過放眼四周，不似會找到野果。他想看看那黑雲，但風雪實在太大，他的視線只有數丈，根本沒法瞧得到更遠的地方。

——為今之計，只好等待牠們回來。

——溫妮雅她們吃了什麼呢？

他想起她，忽然就生起陣陣睡意。也難怪，自逃避光魚開始，他不是與黑龍同步，就是派出沙甸魚、螢火蟲等動物，體力消耗得七七八八，是時候休息。

風雪落在他的身上，慢慢積聚起來，慢慢地將他隱藏在暴雪之中。白雪紛飛、疾風呼號，理應誰也不可能發現他。

除了一種人，就是雪山的主人吧！但這大雪山有主人嗎？

喬亞忽然腦際靈光一閃，迅速往旁移開。

他才移開，一條長鞭竟然猛烈地打在他藏身之處。

「你終於肯現身。」

喬亞説完，腳步錯動，揮劍攻向對方。

對方大叫一聲，揮動長鞭，追著喬亞的背部打去。

喬亞不想這麼快露出自己底牌，迴身揮劍擋開長鞭，這才發現長鞭竟然是以樹藤織成。

他還想變招之際，一道黑影從身後逼近。黑影十分巨大，對方的身形應該跟人狼王差不多。

——竟然不是人魚！

但形勢不容他細想，對方兩條巨臂往他腰間抱去。

喬亞吞了口涎沫，黑龍劍劍身登時飛出一隻蝙蝠。蝙蝠越過喬亞身子，往對方頭上飛過去，抓向他的雙眼。

果然任何生物都害怕傷及雙眼，他的動作立時遲緩下來。

喬亞順勢向前滾動，避開攻擊。同時，黑熊自劍身跳出來，撲向對方。

喬亞召喚了黑熊後，感到有少許暈眩，暗想自己派遣得太多動物，體力所剩無幾。黑熊應該可以制止對方吧。喬亞如此心想。

可是，喬亞才看見對方的真身，立即覺得不妙。眼前這傢伙一身雪白、渾身長毛、額角、口鼻突出，竟然是一頭白色的巨猿。

黑熊一出手，就擒往白猿的頸項，只要稍稍發力，該可弄暈牠，免卻牠受更大的痛苦吧。

但顯然喬亞弄錯了，只見白猿右手錯動，從黑熊的雙手之間尋得空隙，稍稍往外一擺，竟然讓黑熊的左手無法使勁，一下子就掙脫了擒拿。

——好強的力道！

喬亞正想讓黑熊變招，白猿向前踏了一步，切入了黑熊的內側。

——這是對打中的動物應有的距離嗎？

喬亞的念頭還沒有轉過來，白猿已捉住黑熊的右手，右腳輕輕盤動，把黑熊摔飛。

喬亞迅速走到黑熊的身旁，遞出黑龍劍，刺向牠，牠迅速回到劍身。黑熊的感受立即傳到喬亞的腦內，他臉上頓時升起古怪的神情。

他終於敢肯定眼前白猿的力道未必及得上人狼王，甚至黑熊，但牠的攻擊技巧卻是世間罕有的。

無論動作、距離都是千錘百鍊的，動物是絕對做不來的，那是人類才懂得的技擊術，是經過千年萬年，代代相傳才學得懂的。

——難道牠是被人操控嗎？

白猿看見黑熊被喬亞收回劍內，沒有再攻上來。

「你不想如同這頭黑熊，就不要胡來。」喬亞橫劍胸前。

白猿卻沒有理會他，猱身撲上，右拳轟向喬亞的臉門。

喬亞來不及反應，只能擺擺頭顱，右拳與頭盔擦身而過，喬亞隱隱約約聽到巨響，暗想幸好有頭盔保護。

白猿果然不是普通動物，右拳還沒有收回，左拳竟先一步捉住喬亞的衣領。

喬亞暗想來得好，他實際上就在等這一刻，在對方最有自信的距離，才釋放動物，攻其不備。

可是就在喬亞滿以為得手之際，一種刺骨的痛竟然從腰椎之間傳過來，迅速傳遍他整個身軀。

怎會這樣子呢？喬亞還未來得及細想是什麼一回事，就渾身麻痺，往旁跌開，要昏迷過去。

白猿似有人性，迅速將他背到肩上，往山上走去。

幾縷黑煙自地上冒起，往喬亞的身上潛去。

沒錯，喬亞之所以暈倒，並不是因為白猿拳頭有多猛，而是有三隻地鼠把痛楚帶回給他。那感覺跟冬天時接觸到毛衣被「灼傷」的感覺相似，但來得更猛烈、更兇狠、更集中。

假如是普通的痛，他還可以忍受、轉移，但這種深入骨骼的「灼傷」，他完全沒法反抗。

——你們不要前來，黑龍快點離開，不要讓她們來找我。

喬亞思想飛逝，不消一刻，已然暈倒，任由黑龍劍跌在地上。

黑龍劍落在地上，迅速被風雪掩蓋。

四周只有白茫茫的雪，把剛才的打鬥痕跡完全掩埋了。

真魚與溫妮雅看著地上的黑龍劍，內心的寒冷比四周的風雪還要凜冽。

這柄理應與喬亞形影不離的黑龍劍，再次與喬亞分開了。

真魚環目四顧，沒有發現喬亞的蹤影，也由於風雪來得太密，所有可以透露喬亞去向的線索也埋藏在雪下。

唯獨這柄黑龍劍，它通體的黑，在白茫茫中十分耀眼。

「他會否在雪下呢？」溫妮雅急問。

真魚沒有答話，她只熟悉海裡的世界，對雪中的世界一無所知。

溫妮雅只好拾起黑龍劍，回頭看著真魚，再次問了一個她也知道對方答不來的問題：「他在跟誰打鬥呢？」

確實只有打鬥，喬亞才會被迫跟黑龍劍分開。但在如此暴雪下，誰可以行動自如迫得喬亞與黑龍劍分開呢？

「劍身沒有被積雪壓著，應該與喬亞分開不久。」溫妮雅說。

真魚微感疑惑，雖然她看見雪的機會不多，但如此大風雪，沒有可能不把黑龍劍覆蓋。

溫妮雅在四周找了一遍，都發現不到任何打鬥的痕跡。

「可以讓我看看黑龍劍嗎？」真魚看著有點徬徨的溫妮雅。

溫妮雅露出疑惑之色，真魚續說：「以雪勢來看，黑龍劍應該長埋在雪下。但為什麼我們能發現它呢？」

「是黑龍！」溫妮雅猜測，「是黑龍要我們發現牠。」

真魚用手指按按唇邊，說：「又或者是喬亞。」

溫妮雅訝異地說：「喬亞又在劍內嗎？」

真魚看著漆黑的劍身，說：「或許吧！」

溫妮雅正想把劍交給真魚，腦際卻升起不祥的預感。溫妮雅往後跳開，說：「我不會把劍交給你。」

真魚錯愕地問：「為什麼呢？」

溫妮雅說：「我不知道我有否猜錯，你想用劍刺傷自己，然後潛入劍內。」

真魚說：「我怎會呢？」

溫妮雅說：「那麼你想拿劍來做什麼呢？」

真魚冷靜地說：「喬亞不在劍內。」

「你怎知道呢？」

「劍身無血，上次我們仨也是受傷後才被吸進黑龍劍內。」

溫妮雅用劍擋在自己身前，說：「但你還沒有回答我的問題。」

真魚攤開雙手，說：「如果我真的打算傷害自己，我現在撲過來，黑龍劍就可刺傷我。」

「對不起。」溫妮雅嚇得急急垂下右手，劍尖向地。

真魚坦言說：「其實我有想過潛入黑龍劍內，但當我發現了劍身無血，就打消了這個念頭。」

溫妮雅說：「我覺得你的方法不對勁，或許你能潛入黑龍劍內，但要怎樣離開呢？」

真魚呼了口氣，反過來說：「對不起。」

溫妮雅說：「其實我們都沒有錯，只是在這麼惡劣環境下，腦袋變得極不靈光吧。」

真魚點點頭：「如果我能夠運用『活水』，帶我們四處走動，應該很快就能找到他。」

溫妮雅說：「如果我能夠像與他古戰鬥時，可以變成水，應該能夠任你使用吧。」

真魚愕然說：「不要有這種想法，與他古戰鬥時，你的身體應該是受到猛烈的攻擊後才會產生異變。那種傷勢，不會輕得過被黑龍劍所傷。」

「但我會自動復原。」

「但萬一不可以，又或者我的『倍化』令你身體產生不尋常的異變呢？情況就如我走進劍內後，而不能走出來。我們都應該打消不必要的想法。」

溫妮雅點點頭：「那麼我們就只能搜遍這個山頭。」

真魚按了按眉心，說：「至少我們多了一柄黑龍劍……」

溫妮雅突然走近一棵樹，呆呆地不知道在看什麼。

真魚好奇地走近她，問：「什麼事呢？」

溫妮雅說：「這應該叫雪松吧！」

真魚看著那些如針尖的葉子，雖然覺得它的形態很優美，卻不知道為什麼溫妮雅要在這時候提到它。

溫妮雅說：「師父說過，『精靈法則』主要分為四大類——風、火、水、土，當中水看似柔弱，卻能滴水穿石，也是各種生命都需要的元素。」

真魚隱隱約約知道她在說什麼，右手按著雪松的樹身，深深吸了口氣。她的臉色漸漸紅起來，微微張開口，顯得極辛苦。

溫妮雅本想叫她停下來休息一陣子，可是才想說話，就覺得她是不會聽勸告的。

也不知道過了多久，真魚雀躍地攤開微濕的掌心，說：「終於有水了！」她正要「倍化」那點滴之水，溫妮雅卻使勁把她推開。真魚還沒來得及驚懼，雪松枝椏上的積雪統統落下，發出隆隆巨響。

「是什麼一回事？」真魚問。

「可能是它對我們暴行的抗議。」溫妮雅猜測。

真魚不知道她的答案是否正確，卻感到大自然玄之又玄。

溫妮雅說：「雖然對不起它們，但我們仍要傷害它們吧！」

真魚沒有説話，溫妮雅好奇地看著她，卻見她臉露懼色，看著自己的身後。溫妮雅握劍的手一緊，正要回身之際，真魚已先一步摟著溫妮雅往旁閃開。

「你們是誰？」

一把極低沉的聲音隨著一個龐大的身影從天而降，也幸好真魚早瞧見牠飛撲過來，才及時與溫妮雅避開。

溫妮雅回頭，看見一頭全身白色的巨猿。

白猿高舉雙臂，龐大的影子籠罩著她倆。

「你又是誰呢？」溫妮雅用黑龍劍指著白猿。

白猿沒有答她，反而近乎怒吼：「這柄劍是我的。」

——你的？

溫妮雅未及反應，白猿的右掌已拍打過來。

「別欺人太甚。」溫妮雅急移腳步，右手往前一探，劍尖繞過白猿的前臂，刺向牠的喉嚨。

白猿反應敏捷，右掌向外掃動，拍打在溫妮雅的臂上。

溫妮雅只好收回黑龍劍，迅速變招，改砍向牠的下盤。

白猿右腳向前一踢，踢向溫妮雅的左臂。

她勉強一擋，「喀裂」一聲，傳來骨折的聲音。

——這傢伙的腳踢怎會這麼厲害呢？

溫妮雅順勢往後滾動，滾至真魚身旁，說：「快點離開這裡。」

真魚微感錯愕，溫妮雅補充說：「牠的動作比任何一個王都武者還要快、狠和準。」

真魚明白到她的意思，也深知道她們沒有勝算。溫妮雅的能力於人類來說，應該是一流，這與她跟他古戰鬥中已經可以看得出來，連她也說必須逃走，看來她們連絲毫取勝的機會也沒有。但她不甘心，她吸了口氣，掌中的水迅速增量。

真魚揮動右手，本以為可以利用山勢，製造水流，捲走對方，可是水才流出少許，就陸陸續續凝固下來，沒法對白猿造成任何傷害。

——果然只得我一人是行不通的。若姐姐、義弘在此，萬事就好辦。

真魚心灰意冷，竟然沒有逃走的意欲。

「快走。」溫妮雅忍著左臂折斷的痛楚又撲了過去，不過並沒有主動搶攻，她只是圍著白猿奔跑。白猿蹲下身子，右手試探式往前掃了一下，就停了下來，然後再掃一下。如是者掃了五下後，溫妮雅感到不妥之際，白猿踏前一步，再掃一掌，再次打在她的身上。這次是擊在溫妮雅的右臂，又是骨折的聲音。

黑龍劍隨著溫妮雅的慘叫聲，與她一起跌在地上。

這再次印證了溫妮雅的想法，白猿以五記虛招試探距離，再以一記實掌攻擊，這種技巧在人類世界也極罕有，一頭異獸又怎會懂得呢？

「真可惡。」真魚雙手按著地面，咬破嘴唇大叫。

「快走……」溫妮雅臉色比雪更蒼白、更死寂。

真魚看著白猿走近躺在地上的溫妮雅，知道溫妮雅生死存亡繫於自己。

——快點來吧，我的水！

她現在的想法就是召喚地下的水，這些水雖然一離開地底就會變冰，但這應該是她唯一取勝的方法——冰封牠！

白猿越來越接近溫妮雅，真魚只好盡自己能力，破口大罵：「你過來！」

白猿說：「我要劍。」

真魚說：「劍可以給你，讓我們離開！」

「什麼是『讓我們離開』？」

真魚微感錯愕，這頭白猿雖然懂得語言，但看來只會簡單片言隻語。

「你不要跟她多說，她只是等待緩兵。」

「緩兵是什麼？」

「我不是說過，所有行動都要由我來指揮。快點搶走她的劍，然後殺了她們。」

「為什麼要殺了她們？」

「她們會傷害你，就像那頭黑熊，你忘記了剛剛的痛楚嗎？」

「沒有忘記，真的很痛，那黑熊很壞，我的頸很痛。」

「她們也像那黑熊。」

「她們不是，她們個子太小。」

「她們雖然個子小，但很壞，她剛才用劍刺你。」

「沒錯，她用劍刺我，但我不能殺她。」

「阿達，你真沒用。」

「你不要罵我，你再罵我，我就告訴爸爸。」

「你敢？」

「你這麼兇，我告訴爸爸，阿猶又欺負我。」

真魚完全沒法相信眼前所見，那白猿不但沒有攻擊她們，還坐在地上傻傻地自語自言。不，那不像自語自言，而是真的像有兩個「人」在她面前，一問一答。

——這到底是什麼情況？阿猶、阿達？難道牠體內住了兩個人嗎？

真魚放棄了召喚地下的水，悄悄地走到溫妮雅的身旁。溫妮雅雖然兩手被廢，但也隱隱約約地聽到白猿在自語自言，暗覺奇怪。

「我們先離開吧。」真魚輕聲說，「回水都再請援兵。」

溫妮雅心有不甘，喬亞應該就在附近，為什麼又要再一次拋下她呢？她看著被真魚拾起的黑龍劍，滿心期盼著：

喬亞，請你像上一次，快點現身救我吧！

「好吧，我們只搶回那柄劍。」

阿猶、阿達取得共識，白猿立時回復先前的狀態，站直身子瞪視著溫妮雅和真魚。

形勢又一下子變得極惡劣。

「黑龍劍不能交給牠，你立即帶劍逃走。」溫妮雅沉聲說。

「劍，還我！」白猿按捺不住，飛身撲向溫妮雅她們。

——好吧，看看誰夠狠。

真魚猛地朝天吐出一泡涎沫，沒錯，這是她最後的掙扎，將一泡涎沫無限「倍化」，在它未冰封之前，化成巨湖，變成深海。

但看來她並不成功，涎沫在半空瞬間混了在風雪之中，消失得無影無蹤。

——完了。

「劍是我的，你不配拿走！」

真魚、溫妮雅又驚又喜，是一把久違的聲音。她們等待這聲音很久了，就像自出生已開始等待。真的有這麼久了嗎？

他們分開不過一天，卻有恍如經年的感覺。

原來思念是這麼漫長。

白猿也聽得出來者不善，連忙回頭，就看見三頭黑色的雪豹撲向牠。一般雪豹是白色的身上有黑色的斑點，但眼前這三頭卻是渾身漆黑。

這只能有一個解釋，那不是真的雪豹，而是喬亞的生命能量。

跑得最快的兩頭雪豹，繞過白猿，走到溫妮雅、真魚身前，一張口就咬著她們的衣領跑遠。

最後一頭雪豹猱身撲向白猿，想把牠推倒在地上。

可是跟與黑熊、溫妮雅戰鬥一樣，白猿才一招就把雪豹摔在地上，還用膝蓋壓著雪豹的頸項。如果是真實的雪豹，老早一命嗚呼，幸好牠是喬亞生命能量變出來的，當然這也帶來不幸，牠化成輕煙後，把骨折的痛楚也帶給了喬亞。

喬亞痛得差點摔倒在地上，但仍然咬緊牙根，不讓自己再被痛楚擊倒。

「我所有的朋友都回來吧！」

喬亞大叫，溫妮雅當然明白他的意思，落地後立即叫真魚把黑龍劍給雪豹咬走。

雪豹跑進喬亞的體內，喬亞又拿回黑龍劍。

真魚忽然發現眼前的暴風雪變得不大一樣，有很多束黑煙在雪中游走，一直朝著喬亞的方向飛過去。

「就讓黑龍見識你的真本事，但誰來接招呢？阿猶，還是阿達呢？」

第三十二章 猶達

牠是雪地的王者，在牠的記憶中，
沒有任何生物可以在牠的王國擊敗牠，
雷克蘭不可以、納西斯也不可以、
阿塔加蒂更不可以，
連老大德古拉或老二曼陀羅都不敢獨自來這裡。

喬亞才醒來，就嗅到陣陣不尋常的味道，是鮮肉的腥臭味，濃烈得他不用盲猜，也猜到這裡不是廚房，就是糧倉。

——不，這或許是亂葬崗？

他瞇起右眼，只有少許的光線射入他的眼內。他怕白猿仍在附近，沒有睜大雙眼，也不去移動身體，只讓一隻蒼蠅從頭頂的黑髮中竄出頭來。蒼蠅拍了拍翅膀，卻因為天氣太冷，沒有飛起來，迅速潛回喬亞的體內。

蒼蠅複眼看到的信息統統交給了喬亞，喬亞暗叫好運，原來那白猿就坐在他的身後，如果被牠發現蒼蠅，知道他已經醒來，要逃走肯定不易。

原來這裡不是廚房，也不是糧倉，而是白猿的起居室。這起居室雖然很簡陋，但竟然有桌子、椅子和床，跟人類的房子無異。

——難道這白猿霸佔了人類的房間嗎？

「我應承過他不會殺人。」

「我就是不聽你的。」

「我不會讓你出來的。」

「他說過你變壞了。」

「你滾。」

「我不放你出來，你就不可以殺人。」

喬亞聽到一把男聲沉聲說，竟然來自白猿那個方向。

喬亞怕白猿發現他已經醒過來，只好不斷放出蒼蠅，看一眼後，又讓牠們潛回體內。如此反反覆覆後，喬亞終於弄清楚狀況，說話者不是別人，而是白猿，牠面朝著石壁，對著自己影子在說話。

相對於白猿的身手，喬亞並不覺得牠會說話有什麼值得驚訝。只要有練過技擊術的人都看得出，白猿是這方面的高手，而這種身手絕對不可能是動物，又或一個人可以練得成的，換句話說，白猿應該有同伴。那同伴更可能是人類，教曉白猿技擊術，當然也教曉牠各種人類世界的事物，譬如語言。

——那人到底在哪裡呢？難道在石壁裡？難道他也會「法術勢」，可以潛入石壁內嗎？

——不，石壁內不可能有人。牠到底跟誰說話呢？

喬亞見白猿面朝著石壁，膽子大了起來，竟然讓蒼蠅飛了起來。

蒼蠅伏了在白猿的身上，沒有離開。

「我就是要殺了他。」

「我就是要出來。」

「他才是壞蛋。」

「你快讓我出來。」

「我才是你哥哥。」

「你不可以應承他任何事。」

白猿語氣、神情突然一變，說出了跟剛才截然不同的話。

喬亞越來越摸不著頭腦之際，白猿竟然高舉右手，狠狠地摑了牠自己一巴掌。這白猿的力氣雖然及不上人狼王，但也絕對不是弱者，這麼一掌，竟然摑得自己倒在地上。

——牠在演戲麼？

白猿倒在地上，竟然跌在喬亞的身旁。喬亞察覺有異，不自覺張開了眼睛，白猿眼利，大叫：「我早說過人類都是卑鄙的傢伙，竟然在裝睡。」

白猿一手執起喬亞，就往牆上擲去。

喬亞倒在地上，氣吁吁地說：「你到底是誰？」

「我就是我。」白猿大叫，房間竟被牠喊得有點搖晃。

「你的主人在哪裡呢？」喬亞問。

「我沒有主人。」白猿一腳踢在喬亞的腹部，喬亞整個人再次飛起。

喬亞撞到牆身，痛得沒法再站起來。

「我要殺了他，保護我們。」

——保護？我們？

——這傢伙太厲害，黑熊也不是牠的對手，只能出動黑龍，但黑龍劍在哪兒呢？

——不，我好像忽略了一些事情……是什麼呢？

白猿單手把喬亞高舉起來，狠狠地壓在牆上。

「你不可以這樣子，阿猶哥哥，他會發怒的。」

「我不要被任何人控制，爸爸、你，還有他。我要超越你，阿達！」

喬亞與白猿如此接近，終於明白到發生什麼事，房間內由始至終就只是白猿在說

話，牠就像戲台上的演員，一人分飾兩角。

——難道教牠技擊術的人住了在他的體內，就像我們曾經住在黑龍劍般嗎？

——不，牠們口中還有「他」，他到底是誰呢？

——難道是頭盔的主人嗎？

「我要殺了他。」

「不可以呀。」

白猿體內的兩個傢伙在爭吵，苦的卻是喬亞。牠們吵起來，一時把喬亞摔在地上，一時把他壓向牆壁。

喬亞完全不能反抗，只能不斷掃描身體，盡量轉移痛楚，當然每次撞到牆身或摔在地上，他也會盡量乘白猿不察覺，讓各種動物替他捱下重擊。

「你想打倒我還不夠強。」喬亞喃喃地說。

「你說什麼不夠呢？」那個阿達說。

「你還有同伴嗎？」那個阿猶驚醒說，「不是有頭黑熊嗎？我們很久沒有吃過熊肉了。」

阿達訝異地說：「牠到底在哪裡呢？」

喬亞說：「在那劍內，只有我可以召喚牠出來。」

阿猶握著喬亞的手一緊，說：「你想用黑熊打敗我？」

「牠根本不是你的對手，只要你不傷害我，多少動物也能給你。」

阿猶說：「真的嗎？」

「真的。」喬亞說。

「我們就去找那柄劍。」阿猶拖著喬亞前行。

喬亞喊了一聲痛，倒在地上。

阿達說：「他傷得很重。」

「我知道該怎樣做。」阿猶拿出樹藤，把喬亞綁在一塊大石上。

白猿滿意地看了看喬亞，雀躍地走出房間。

喬亞待得白猿離開，睜開雙眼，召喚幾隻螃蟹，不消一刻已經剪開樹藤。喬亞倒在地上，非常感激師父，如果不是師父堅持他每次都要通過黑龍劍召喚動物，他也不能佈下陷阱，讓白猿去尋找黑龍劍。

——幸好牠們沒有發現那些動物是我製造出來。牠們也真笨，竟然沒法判斷那些動物是假的。

——不過那笨蛋也真厲害，看來只要是近身戰，人類絕對不是牠的對手。無論是黑龍，還是其他動物都需要近身才可以攻擊到牠。

——我是學不會師兄的「刀勢」、師姐的「精靈法則」的，還有什麼方法可以隔空攻擊牠呢？

喬亞躺了一會兒，力氣漸漸恢復，痛楚也消退得七七八八，站了起來，正要搜遍房間，一縷黑煙鑽入了喬亞的腦袋。

喬亞接收了黑煙的信息，大吃一驚，也不理會眼前的狀況，急奔出去。

——她們怎會來了呢？溫妮雅，千萬不要受傷！

沒錯，那縷黑煙正是剛才伏在白猿身上的蒼蠅。

喬亞順著蒼蠅的所見所聞，飛快地跑到小山崗之上，正好看著白猿要攻擊溫妮雅和真魚。

「不能傷害她們！」

喬亞身體猛烈震蕩，三頭黑色雪豹同時跑了出來，撲向白猿。

「就讓黑龍見識你的真本事，但誰來接招呢？阿猶，還是阿達呢？」

溫妮雅聽到喬亞的話，滿心歡喜，這傢伙終於又在最後關頭出現了。

真魚依舊蹲在地上，希望盡快呼召出地下水。

喬亞握著黑龍劍，喃喃地說：「老朋友，用盡你所有的力氣。」

黑龍劍化成黑龍，朝天飛起。

白猿看見黑龍，知道上了喬亞的當，面色瞬間變得赤紅，顯得極其暴躁。

「你竟然騙我。」也不知道是阿猶，還是阿達說。

黑龍俯衝而下，大有君臨天下的氣勢。

既然不能用技巧取勝，就只能依靠力量。

白猿曲起雙膝，待得黑龍差不多到達眼前，往上一跳，揮拳打去。

「不要！」溫妮雅忘卻痛楚，出言提醒。

正在她身旁的真魚，突然感到不對勁，偏頭一看，看見溫妮雅的身影失去膚色，泛著點點水色和波紋。

——她又要變成水嗎？

真魚把手伸向溫妮雅，暗想只要意識轉動，溫妮雅就可以變成滔天巨浪，把白猿捲走。

——但這麼做之後，她可以變回人類嗎？

——她……

真魚自小就知道自己很聰明，比其他人魚的腦筋都轉動得快，經常被師父大讚，可是此際腦海竟然一片空白，沒有辦法再想下去。

就在她遲疑之際，白猿的拳頭狠狠打在黑龍的身上，黑龍受到重拳後立即往內縮，變回了黑龍劍，被白猿打得飛去老遠。

這是溫妮雅、真魚看到的狀況。

可是在白猿的眼中，卻是完全相反的慘況。

就在牠的拳頭擊中黑龍時，黑龍竟然瞬間變回利劍，狠狠地刺向白猿。黑龍劍俯衝而下，白猿奮力跳起，互擊的力道加倍。劍刺穿了白猿右拳頭，白猿大叫，也幸好牠的反應異於常人，立即揮動拳頭，把黑龍劍擲遠。但劍尖早已刺穿傷了拳頭和前臂，暫時廢了牠的右臂。

白猿的右臂不斷滴血，血灑在雪地上，分外顯眼。牠是雪地的王者，在牠的記憶中，沒有任何生物可以在牠的王國擊敗牠，雷克蘭不可以、納西斯也不可以、阿塔加蒂更不可以，連老大德古拉或老二曼陀羅都不敢獨自來這裡。

——為什麼我會被人類所傷呢？

「老八，告訴我，他是什麼人！」

白猿朝天吼叫，竟然不是本來阿猶或阿達的聲音。

真魚看著牠的吼叫動作，突然想起了一個傳說的傢伙。

「是你，猶達！」

喬亞、溫妮雅立時想起了「八大惡」之中，確實有猶達這個名字，難怪這傢伙這麼強。

——果然不能視他為普通動物！

猶達聽到真魚叫喚他的名字，瞪視著她：「你是人魚族，是老五的女兒嗎？」

真魚說：「不是，祖先已經在很多年前逝世了。」

「逝世了嗎？是老大，還是老三或老四下的毒手？」

「不是，他是衰老而死。」

「衰老嗎？」猶達回頭看著握著黑龍劍的喬亞，「你是老八找來的傢伙嗎？」

「什麼老八？」喬亞已猜到這個老八應該是在「八大惡」中敬陪末座的唐靈，不過為了套猶達的話，就詐作不知道。

「你不要詐作不知道，你剛剛騙了我的兩個兒子。」猶達說。

——兒子？阿猶和阿達竟然是他的兒子？

——他的身體怎麼可能住著他們呢？

——難道他吃了他們，連靈魂也吃了嗎？

——這實在是很荒謬的事啊！

不要說喬亞，連溫妮雅、真魚也被他們弄得頭昏腦脹。

溫妮雅與真魚面面相覷，都沒法想到下一步要如何做。她們該逃走，還是對付猶達呢？

猶達好像比阿猶、阿達理智，若能夠動之以情，說之以理，就能免去一場惡戰之苦。

——但我們到底要跟他說什麼呢？

溫妮雅、真魚同時升起相同的想法，沒錯，她們根本還沒弄清楚狀況，就來到這個雪國，還跟阿猶或阿達大打一場。

所有事情都源於喬亞，只有他知道要如何做。

「我們只能配合喬亞。」溫妮雅悄聲說。

真魚學人類輕輕頷首，表示贊同。

「我只能夠跟你說，我們被人狼王、屍邪鬼追殺。」喬亞說了個極妙的謊言，他們確實曾經被他們追殺，只是不是現在，而是在很多日之前。

猶達疑惑地說：「人狼王、屍邪鬼？」

真魚補充說：「雷克蘭和納西斯。」

「原來是那兩個傢伙。」

喬亞也說：「還有吸血魔德古拉的門徒。」

猶達冷冷地掃視著他們，說：「你們別騙我，他們仨都被囚禁在深海，有老五監視著他們，他們沒有可能離開的。」

真魚說：「祖先已經死了，而且人魚族的叛徒放了他們。」

猶達說：「也只能是這個解釋，老八想出來的方法，只要嚴格執行，誰也逃不掉。」

喬亞感到骨髓有點麻痺，似乎想起了某件事，可是卻沒法形成什麼想法。

溫妮雅、真魚對望一眼，都看出對方臉上的疑惑，是老八策劃，老五執行嗎？

真魚喃喃自語：「竟然是唐靈想出來的方法，那麼他豈不是祖先他們之中最厲害的一個。」

「老三、老四在哪裡呢？」猶達瞪視著喬亞。

喬亞心想只要自己稍為答錯，惡戰必會持續下去。猶達雖然受了傷，但溫妮雅、真魚剛剛都處於捱打狀態，似乎她們都沒法在這個惡劣環境下應戰。現在只有依靠黑龍，但同樣的方法可以再運用嗎？

就在喬亞猶豫之際，溫妮雅、真魚同感眼前一黑，猶達竟然撲向她倆。

溫妮雅起腳踢向真魚，把她踢開之外，自己也往後飛開。

猶達認定溫妮雅是他們之中的最弱，暴跳著、追著溫妮雅而去。

「住手！」

喬亞大叫一聲，再次呼喚出黑龍。

黑龍飛撲向猶達，猶達打了個筋斗，潛到黑龍的下面，朝天一踢，踢中黑龍的腹部。黑龍乘勢飛起，迴旋了三個圈，再次撲下來。

猶達右手隨意一抓，抓住一把雪灑向黑龍。

黑龍閃身避開，卻不見猶達的蹤影。

黑龍是唯一能夠與喬亞同步的聖獸，牠的所見所聞都會第一時間傳給喬亞。在猶達消失在黑龍的眼底一刻，喬亞面前一黑，猶達已撲至他的身前。

「不要！」溫妮雅吶喊，揮動右手，想再次與黑龍取得聯繫，讓牠化成利劍，操控在自己手上。可是這次她顯然「失敗」，不過這「失敗」不是她操控不到黑龍劍，而是她的手竟然變成水色，像噴泉直射向猶達。

但風雪實在太猛，她的手還沒有打到猶達，就已經變成了冰柱。

真魚擔心的事果然發生了，在如此低溫下，任何與水有關的「精靈法則」、「活水」都沒有用。

但真魚沒有餘閒擔心溫妮雅，她只有全神貫注在自己的「活水」之中。

——這次一定要成功，否則我們都會沒命。

猶達判斷得果然正確，喬亞放出黑龍後，再沒有能力自保。猶達的左拳往前揮去，喬亞只能勉強用雙手護著要害。

——到底人類要如何戰勝「八大惡」呢？

喬亞被打得飛了起來，失去了意識。

「來找我吧！」

喬亞眼前一黑，又是那把在黑暗中曾經出現的聲音。

「你在哪裡？」

他喃喃自語。

「你忘記了剛才的電觸嗎？」

「電觸？」

喬亞終於想起了剛才地鼠帶回來的刺痛，腦海頓時浮起在一條黝黑的通道內，幾頭地鼠不小心咬著一些彩色的鬚根，就刺痛得牙關如遭火灼，化成黑煙的影像。

「我要過去那裡！」喬亞吶喊。

但猶達完全沒有放過喬亞的意思，左拳再次補上。

眼看喬亞即將喪命之際，猶達身旁升起了幾道水柱，水柱遇上寒流，迅速變成冰柱，冰柱連著猶達，把牠重重圍困。

「成功了！」溫妮雅向著真魚大叫。

真魚看見溫妮雅變了冰柱的怪手，臉色非常難看。她確實成功令地下水「倍化」，但這兒的水實在太少了，她未及將它們無限「倍化」，就已經被冰封。

「刹」的一聲，一把黑色的劍自半空跌下來，插在真魚的身旁。

喬亞暈倒，黑龍這次沒有暴走，變回長劍。

但更惡劣的情況是困著猶達的冰柱竟然露出裂痕，看來只需多一點時間，猶達就能掙脫這座冰牢。

「快點帶他們走。」溫妮雅用盡最後力氣吶喊。

真魚當然明白「他們」是指喬亞和黑龍劍，但她實在不願作出這個決定。她心底裡知道這是最佳的選擇，他們要跟猶達戰鬥下去，就只能依靠喬亞。但不知道怎地，她就是不想拋下溫妮雅。

溫妮雅說：「只要我變回水，所有傷勢也會痊癒。」

真魚拭走正要落下的眼淚，拿起黑龍劍，跑到喬亞的身旁，抱起他就往雪松林走去。她朝著多樹的地方走，以猶達如此龐大的身形，應該很難在密林中活動。

溫妮雅看著他們遠去的身影，感到極其安慰：「我的手，你快點回來吧。」

「喀裂」幾聲，圍著猶達的冰柱全然碎裂，露出他滿是鮮血的軀體。

他咬牙切齒，看著溫妮雅，似要把她吞進肚子一樣。

溫妮雅當然感受到作為獵物的痛苦、卑微。

——喬亞，你要好好活著！

——哥哥、嫂嫂、爸爸、媽媽，來生相見！

一隻冰冷的手握著溫妮雅的肩膀，不消說當然是猶達的手。

猶達一身血腥味傳入溫妮雅的鼻腔，教她非常難受。

「死人魚，告訴我，他們在哪裡。」

「我不是……」

溫妮雅還沒有說出「人魚」二字，已經暈了過去。

第三十三章　別有洞天

她再揮一劍，刺耳的金屬交擊聲音響起，她已經百分百肯定，泥造的洞身之後就是金屬板，這跟他古居住的山洞遺跡似乎如出一轍。

真魚扶著喬亞，也不知道跑了多久。她的淚水完全不受控制地流出來，又不受控制地變成冰痕、雪花。

——聖潔妹妹，你不要死！

四周的狂風呼嘯，令真魚覺得猶達下一刻就會出現在自己的身後。

她握著黑龍劍的手越來越緊，已經有最壞的打算，只要被猶達追到，她會第一時間用黑龍劍割傷喬亞和自己，引發黑龍劍的另一個能力——讓他們躲進它的體內。

她仍然記得十分清楚自己在劍內的情況，當初她滿以為會被納西斯所殺，怎料下一刻就被黑龍劍帶到另一個空間。

在那裡，她看見昏倒的喬亞。

她扶起喬亞，拍拍他的臉，看看四周，發現他們竟然在一個山洞之內。山洞沒有洞口，但說也奇怪，洞內竟然不黝黑、不恐怖，反而有個小湖泊、幾棵大樹和草地。與其說這裡是山洞，倒不如說這裡是個佈置成山洞的房間。

「讓他睡吧！」

她吃了一驚，抬頭竟然看見洞頂現出黑龍的頭。

「你是誰？」

她暗暗抽了口涼氣，心念立時放在小湖泊之上，企圖使出「倍化」，壓向對方。

「我就是他。」黑龍張口說話。

「你是那頭黑龍？」她又說，「這裡是什麼地方呢？」

「這是我的體內。」黑龍說。

「體內？」真魚覺得奇怪。

「你不相信嗎？」

「我相信。」她卻說，「但如何證明呢？」

「你不是懂得操控水嗎？」

「這裡確實是你的世界啊。」真魚失笑，同時放棄反抗。她剛才已經試過不少次，但始終沒法讓小湖泊「倍化」，那只有一個原因，就是眼前的不是真正的水。

「好了，我要走了。」

「你要去哪裡？」

「我其實已經死了。」

「死了？」

「這是我僅餘的意識，你要好好照顧他……」

「你不要走，我還有……」

真魚吶喊，但黑龍的頭已經消失得無影無蹤，而她也突然覺得暈眩，差點兒昏倒在喬亞的身上。

——很累，這次還會看見黑龍嗎？

真魚疲累得只能摟著喬亞斜靠著樹身，不住呼氣。

氣喘聲融入風聲，倍加寂寞。

「帶我去。」

真魚露出驚訝之色，竟然聽到喬亞在說話。

她低頭看去，喬亞一臉死灰，似乎仍在昏迷之中。

「帶我去。」

喬亞說完，手臂竟然跳出了一頭黑色的雪狼，這雪狼很袖珍，細小得如一頭田鼠。

牠順著喬亞的身體往地上跑，不住用鼻子左嗅右聞，似要尋找牠的同類。

真魚不知道雪狼要找什麼，但見牠漸漸走遠，只好抖擻精神，扶著喬亞追著牠。

她早已經疲憊不堪，沒法再理會猶達有否追上來。

她的眼中只有雪狼黑色的身影，她只有跟著牠走。牠是喬亞釋放出來的動物，也是她唯一的希望。

「你一定要帶我們離開險境。」真魚默默唸著。

雪狼在一個洞口前停了下來，卻沒有進去，只是四處嗅嗅。

牠嗅了一會兒，頗有靈性地走到真魚他們的身前。

真魚問：「是否要進去呢？」

雪狼聽不明白她的話，只是不住把頭擦向她的左腳踝，表現得十分親暱。

「進去吧！」

真魚以為喬亞在説話，低頭看去，喬亞依舊面如死灰，沒有醒過來。

雪狼似乎聽到喬亞的指示，當先走進山洞。

雪在他倆的身上漸漸加厚，喬亞的頭盔、眉毛都變得花白。

她沒有餘閒拍走喬亞身上的雪花，只能帶著他，一拐一拐地走進山洞。

山洞雖然不算窄小，但洞頂出奇地矮小，應該是專為人類而設，像猶達這種巨人，縱使伏下來，也很難爬進山洞。

洞內沒有光，但對人魚族的真魚來説，視力沒有受太大的影響。

她依稀看見雪狼走在前頭，這小傢伙仍然四處嗅嗅，跟真的動物沒有分別。

真魚自覺相當幸運，如果自己不是人魚族的話，根本不敢走得如此深入。

真魚走了一會兒，心想這裡與其稱呼為山洞，倒不如叫做甬道。

——我們到底要去哪裡呢？

甬道筆直，似是後天加工。

真魚突然湧起似曾相識的感覺，猛然揮動黑龍劍，斬向洞身。泥土剝落，現出不尋常的顏色。

她再揮一劍，刺耳的金屬交擊聲音響起，她已經百分百肯定，泥造的洞身之後就是金屬板，這跟他古居住的山洞遺跡似乎如出一轍。

「難道這裡也是祖先興建的嗎？」

真魚喃喃自語，暗想若非甬道外風雪凜冽，真的以為它連接著他古居住的山洞。

——不，我們穿過黑雲後，就來到這個截然不同的地方，說不定甬道真的又通往另一個地方。

「嗚！」

遠處傳來雪狼的悲鳴，她走了過去，看見雪狼身前有一頭黑色的地鼠，地鼠躺在地上，奄奄一息。

她把喬亞放在一旁，抱起了地鼠。

這地鼠竟然擁有毛髮，是一頭真實的動物。

她看著雪狼，原來牠一直在尋找這頭地鼠。

她回頭看著仍是昏迷的喬亞，正想叫喚他，抬頭一看，竟然發現眼前是死胡同，原來在不知不覺間，他們已經走到山洞的盡頭。

她感到很疑惑，找到這頭地鼠可以怎樣呢？

難道找到牠，就能夠打敗猶達，救回溫妮雅嗎？

甫想起溫妮雅，真魚就莫名其妙地覺得心坎隱隱作痛，縱使當初看著姐姐被納西斯所傷，她也沒有這樣不尋常的反應。

她仍然記得在黑龍離開後，喬亞悠然醒了過來。

喬亞的傷勢極重，不過看來沒有大礙。

「你好好休息。」

「這裡是什麼地方呢？」喬亞問。

「這裡是黑龍劍的體內。」真魚說。

喬亞先是一臉疑惑，再看到她臉上的認真，就知道她沒有說謊。

真魚看見他的臉色，升起奇怪的感覺，她覺得喬亞沒有說出一句話，但她卻清清楚楚地明白他在想什麼。

「我們都傷得很重，不要輕舉妄動。」真魚說。

喬亞點點頭，沒有說話，依舊地躺著。

真魚走近小水池，把身體浸了下去，臉色再變得死灰。

——都是假的水，這果然是幻覺。

真魚低頭看著自己浸在水中的雙腳，呼了口氣。如果是普通的水，以人魚的康復能力，半天內應該可以康復得七七八八。

她不知道這是否上天所賜，人魚族在水中可以算是無敵，懂得使用「活水」，兼且有極強的復原能力。

不過可能是已經傳承了很多代的緣故，他們頂多只能復原七至八成。據說祖先阿塔加蒂只要浸在水中，一眨眼就能完全康復過來。

這或許是傳說吧！

她和喬亞在劍內也不知道過了多久，突然眼前亮出一道閃光，在半空竟然出現了兩個大圓盤。

——這位置不正正是黑龍頭顱出現的位置嗎？

「這是什麼呢？」真魚問。

喬亞沒有答她，定睛看著兩個大圓盤。

突然兩個大圓盤發出光芒，竟然看到一個石灘，還有兩道熟悉的身影。

真魚驚懼地看著喬亞，喬亞雖然盡量不表露出任何感情，但瞪大的雙眼已經掩不住訝異之色。

真魚在初見喬亞之時，已經知道他為人倔強，不會輕易在陌生人面前表露出任何情緒，但仍然猜不到他竟然可以忍耐到這個程度。

如果他們看到的是陌生人，他的反應還算正常。但其中一道身影是喬亞的情人——溫妮雅，他怎麼可以如此冷靜呢？當然另一道身影就是真魚的親姐姐——真由。

「我們為什麼能夠看見呢？」真魚終於忍不住問。

喬亞看了她一眼，不急不緩地說：「這應該是黑龍的雙眼，牠讓我們看到牠所看到的。」

真魚伸手點了點唇邊，正要再說下去，卻看見真由、溫妮雅在利刃之下，險象橫生。

「我們應該怎辦？」

真魚正想問喬亞，卻見他一臉青筋，右手緩緩舉起。

喬亞的右手伸向大圓盤，似要施咒，可是良久仍然沒有反應。

反而當他看見溫妮雅差點被黑龍劍刎頸之際，終於忍不住大叫一聲：「不要！」

他說完，立即望著真魚。

他的眼神不再高傲，但仍然帶點不屑地說：「喂！」

「什麼事？」真魚問。

「你能夠控制水嗎？」

「但這裡的水我不能使用。」

「我指劍外的水。」

真魚明白喬亞的意思，也明白了他剛剛的舉動，他定是想在劍內控制黑龍劍，放出聖獸，但失敗了，只好「求」她。

真魚吸了口氣，集中精神，可是她一使勁，腰間就劇痛難當。納西斯的那一劍不是白刺的。

喬亞詐作看不到她的變化，閉上雙目，也希望盡最後一點力，把黑龍劍變成黑龍，或呼喚出黑熊狂獅老虎。總言之，就是要保護溫妮雅不受到屍邪鬼的傷害。

突然兩個大圓盤染成紅色，真魚臉色一沉，看見姐姐傷於劍下。

——姐姐，你們要快點逃走！

但真由逃不掉被斬殺的命運，也幸好這一斬，她來到了黑龍劍的體內。

真由看見妹妹與喬亞，劈頭第一句竟然是說：「你們在這裡偷懶嗎？」

喬亞瞪視著她，卻沒有說話。他本來想反駁她，不過看見她已經陷入昏迷，就忍住不說。

真魚仍然記得在劍內看見姐姐重傷的情景，不過當時的她並沒有這刻的心痛，為何想起受傷的溫妮雅會有這種感覺呢？她忍不住瞧著喬亞，心裡大概有了答案，一切都繫於眼前這個人類。

但她阻止自己想下去，把黑龍劍放在喬亞的身上，站直了身子，往洞口走去。

她要找救兵，她要救溫妮雅，只要回到海裡，她就能夠康復，也能夠呼喚同伴，盡情地使用「活水」，她要把整個海洋「倍化」，翻起巨浪掩蓋整片雪地。

可能她所做的一切對雪地沒有任何影響，但她仍然要去做，那怕筋疲力盡。

「進去。」

真魚又聽到奇怪的聲音，回頭看著喬亞，竟然看見他醒了過來，指著甬道的盡頭。

「有什麼在牆後呢？」

「是頭盔的主人。」

「頭盔的主人？」

喬亞脫下頭盔，說：「是他叫我來這裡找他。」

真魚相信他的話，拿起黑龍劍往前疾揮。果然不消一陣子，泥土盡去，露出了一道

鐵門。鐵門沒有門柄，沒法輕易打開。

她按著鐵門，但推不開它。

「讓我來。」

喬亞伸手撫摸著雪狼，讓牠回到自己體內。

他站了起來，她遞上黑龍劍，他卻沒有接住。

他按著鐵門，厲聲說：「我已經來了，如果你還不打開門，我就讓猶達進來大肆破壞。」

真魚不明喬亞與頭盔主人有什麼關係，但從喬亞、猶達的話，已經隱隱約約猜到這個頭盔的主人就是「老八」唐靈。

——雷克蘭是能夠控制動物的人狼王；

——納西斯是會吸食生命的屍邪鬼；

——祖先是海中霸王的人魚族；

——猶達是雪國異境的雪巨猿；

——這個「老八」唐靈到底是什麼呢？

「我們去找猶達。」喬亞轉身離開，真魚也只好跟著他。

就在他們差點走到洞口之際，甬道產生異變，由橫向徐徐變成傾斜，而且斜度還越來越大。洞口在上，鐵門在下，似乎不讓他倆離開。

真魚大叫：「我們在它的體內。」

喬亞右手奪過真魚手中的黑龍劍，插進牆壁，左手則摟著真魚的腰，不讓他倆往鐵門方向跌去。

「唐靈到底是什麼？」

喬亞還沒有答她，風雪已經從洞口「湧」進來。

真魚察覺腳下有異，看到鐵門打開了。

「喬亞！」

「去吧！」

真魚鬆開喬亞的手，往鐵門跌過去。

她穿過鐵門，發現自己好像身處在一個大鐵箱之內，四周果然跟遺跡一樣，都是銀色的金屬板，而且這大鐵箱還很光亮，佈滿了密密麻麻像「星星」的小光源。

上。

——星星？

不過情勢不容許她細想，進入大鐵箱後，她下墜之勢不減，快要跌到在鐵造的地面上。

但她完全不怕，她知道他一定會救她。

果然在她快要到達地面的一刻，一隻巨大的爪剛好捉住她。

她抬頭一看，看見一頭巨鷹，卻不見喬亞的蹤影，但她沒有任何疑慮，她知道喬亞一定是坐在巨鷹的背上，悠閒地看著四周。

真魚落在地上，巨鷹迅速收縮成一點，喬亞再次握著黑龍劍，站在她的身旁。

「你沒事嗎？」

真魚想問他，可是話到嘴邊，就沒有說下去。

她知道他不會回答，他既然已經站了起來，就表示他沒有大礙。因此她改口說：

「這裡是唐靈的體內嗎？」

「可能是。」喬亞抬頭看著甬道口，他們剛剛就由那裡跌下來，可是如今鐵門又再關上，他倆被困在這大鐵箱之內。

真魚掃視四周鐵牆，不見其他鐵門，露出失望之色。

她之所以失望不是因為這裡沒有其他出入口，而是她再次沒法跟任何地下水取得聯繫。

只要有水，在密封空間，她就是無敵。她如此告訴自己。

「這個地方好像是為了專門封鎖人魚族的力量而造出來的。」真魚說完，就生起了另一個想法。

喬亞沒有答她，把視線移至那些小光源。

真魚順著他的眼波，突然想到囚禁德古拉的地方，也是光亮如白天，還有那些光魚。

「《古賢書》說德古拉在夜裡最活躍。」喬亞說，「反過來說即是白天的他比較弱，光正是他的弱點。」

「還有這麼大風雪，又有猶達在外面把守，雷克蘭、納西斯也未必能夠輕易找到這個地方。」真魚也說。

「雪國、甬道，它們就像篩子，把你祖先、雷克蘭、納西斯等攔下，最終來到這裡

的德古拉也會被這些光制伏。」

「換句話說，這裡不是祖先建設的。」真魚終於說出她的想法。

喬亞頷首和應：「或許是，但唐靈用了別的方法令水源斷絕。」

「那麼這裡就沒有我可以發揮的地方。」真魚的語氣卻沒有半分沮喪。

「我的血是水嗎？」喬亞突然説，「還有唾液。」

真魚搖頭：「我們的『活水』是控制不到血，唾液其實我沒有試過，剛剛想試也被風雪吹散了。但只要在體內，我們應該控制不到，否則根本就不用怕雷克蘭。」

喬亞其實早有了答案，只是想再一次證實，是人魚族不可為，還是不能為。

真魚說：「如果你能夠深深挖進地底，或許我能夠呼喚地下水源。」

喬亞說：「這些鐵板太厚了，尋常動物是難以咬開的。」

真魚問：「黑龍呢？」

喬亞說：「牠不擅長做這些。」

真魚呼了口氣，說：「唐靈把我們困在這裡做什麼呢？」

喬亞看了真魚一眼，暗想這確實是個好問題，做任何事也需要動機，那怕是小孩子想把一螞蟻弄死，都可能是出於無聊、出於好奇、出於滿足等看似微不足道的原因。

「單單猶達已經可以把我們殺死千遍。」

「他們可能鬧翻了。」

「鬧翻了？」

喬亞高舉黑龍劍，劍身霎時之間湧出了無數的小昆蟲。

真魚差點拍掌叫好，鐵門不可能沒有縫隙，這些不知名的小昆蟲應該可以穿過那些縫隙。

可是那些小昆蟲並不如真魚所料，飛往鐵門，而是向著其中一個小光源飛去。

牠們撞向小光源，不一會兒，那小光源「啪」的一聲，竟然從中爆開，幾隻昆蟲登時化作黑煙，飛回喬亞體內。

喬亞頓時渾身一震，差點昏死過去。

就是這種「電觸」的感覺，剛剛把他擊倒。幸好這一次的強度稍遜，喬亞才勉強挺過來。

一個小光源破滅，小昆蟲目的已達，餘下的迅速飛回黑龍劍。

真魚看見喬亞的神情，說：「會有懂得噴水的動物嗎？」

喬亞沒有理睬她，深深吸了口氣，大叫：「我們如果是德古拉或他的後人，應該沒有力量破壞那些光吧！」

真魚錯愕地看著喬亞，不明白他要做什麼。

喬亞也沒有進一步解釋，只是再大叫：「那麼我們再破壞幾顆星星吧！」

說罷，他們感到大鐵箱搖晃了幾下，竟然看見其中一堵牆現出了一個洞口。

真魚說：「你怎會成功？」

喬亞點點頭：「如果這一切的操作也是篩子的概念，那麼我們只好證明自己不是吸血魔德古拉。」

真魚本想追問下去，卻見喬亞往洞口走去，也急步追著他的背影。

洞口又是一條甬道，不過這甬道比較短，很快就去到另一個比較細小的鐵箱之內。

這鐵箱比什麼都沒有的大鐵箱多了很多東西，椅子桌子，不過最搶眼的還要算是一個大金屬櫃。這金屬櫃很有趣，櫃身上窄下闊。闊的地方像張桌子，可是上面有很多小立方，窄的地方卻有塊巨大的鏡子。

真魚看著喬亞，想起了在黑龍劍內的情景。

——難道黑龍跟唐靈有什麼關係嗎？

「我已經來了，你有什麼話想跟我說呢？」喬亞又再大叫。

真魚細心留意四周的變化，突然強光閃動，大鏡子現出一個人頭。沒錯，是人頭，不是龍頭。

「想不到你竟然可以擺脱猶達。」

「你想我被猶達殺死嗎？」

第三十四章　亞人類

我們的『父親』眼見世界快要毀滅，
人類即將絕種，
就製造了我們八人去延續人類在世界的命。

「他從前不是這個樣子，我還以為你可以喚醒他。」

「我怎能夠喚醒他呢？」

「他曾經收養過兩個人類孩子，可惜人類的壽命有限。這對他來說，是很大的打擊。」

「是阿猶和阿達嗎？」

「你已經見過他們？」

「他們就住在猶達的體內。」喬亞又問，「他吃了他們嗎？」

「這只是恐怖劇的橋段，猶達把他們葬了。但有一天，他突然發狂，有時稱呼自己做阿猶，有時喚自己做阿達，行為也變得失常，不斷殺死跑進來的動物。猶達殺生不為充飢，似要進行儀式，把祭品奉獻給誰一樣。」

真魚聽著他們的話，固然覺得心驚，但更令她感到驚訝的是鏡中人的聲音，每個字他都說得很清楚，但怎麼聽起來都不像人類，也不像人魚族的聲音。

「阿猶、阿達是怎樣死呢？」

「我也不大清楚。」

「或許他們是被動物殺死，所以猶達才要替他們報仇。」

「人類的想法果然都很新奇。」

「你不是人類嗎？」

真魚驚訝地看著喬亞，他終於決定試探「鏡中人」的身份。他就是「老八」「唐靈」嗎？

「你身後的小姐也不是人類吧，人魚族小姐。」

真魚見對方挑著自己而來，挺一挺胸口，說：「你又是什麼種族呢？為什麼不現真身呢？」

「真身？我不是早已經在你們身前嗎？」

「你在我們的身前？」真魚難以置信地看著鏡子。

「雖然形態不同，但你在水都沒有可能不知道我。老五死了之後，你們發生了什麼事呢？」

真魚不知道他指哪方面，也就不知道該怎樣回答他了。

喬亞沉思著他們的對話，真魚當局者迷，思緒應該一時三刻難以走出死胡同，現在

就只有他可以把他們的思緒聯繫起來。

——到底他們想法上最大的分歧是什麼呢？

——師姐在的話，應該會想到是哪個分歧吧。

——不，分歧不會在最初就出現，沒錯。至少他對真魚或人魚族的態度比對我這人類友善得多。

喬亞說：「你跟人魚族祖先、猶達是拍檔，是你製造囚禁德古拉他們的地方嗎？」

「我們當然是拍檔。」

「那麼這裡為什麼沒有水呢？」真魚驚訝地問。

「這裡要水幹什麼呢？」

「當然是使用『活水』。」

「『活水』是什麼回事呢？」

「當然是我們人魚族的本領。」

「本領？你們人魚族最厲害的地方不是巧手嗎？」

「巧手？」

「就是能製作出天下所有東西的巧手。」

真魚想起水都的一切建築，如果他們沒有忘卻那些手藝，水都的發展應該不至於如此。她又突然記起喬亞的話，是人魚族選擇了「活水」，放棄了「巧手」，才遺忘了那些手藝。

「你們八個都有特別本領嗎？」喬亞問。

「當然，否則我們早已經滅亡。」

「是什麼？」

「我們的本領很複雜，一言難盡。」

「譬如猶達呢？他有什麼本領呢？」

真魚聽到喬亞在問猶達，心頭竟然一實，湧起難言的感覺。

「他能夠在極地中生存，而且懂得所有技擊術，單打獨鬥沒有誰可以擊敗他。」

喬亞早料到這個答案，不過暗想對方的話未免有點言過其實，如果是師兄的「刀勢」和師姐的「精靈法則」，隔空攻擊他，懂得所有技擊術也是徒勞。

「雷克蘭能夠召喚狼群，一窩蜂而上，當然可以擊敗猶達，所以他才排在第三吧。」

「人類，你說對了一半。」

「一半？」

「老三確實可以用這個方法擊敗老六，但我們的排名不是輸贏決勝負，只要能夠適當運用所長，老六也可以擊倒老三。」

「什麼方法呢？」

「快。在老三未召喚到狼群前，就要擊倒他，而且要不斷出招。」

「為什麼呢？」

「老三力量比老六優勝，一旦讓老三把握到反擊機會，老六沒有足夠力量制衡他。」

真魚想起猶達如此龐大的身形，拳風颯颯，力量怎會不足呢？

喬亞則在想下次遇見猶達一定要召喚超過二十頭雪豹、雪狼，不斷攻擊他，不讓他有出手的機會。倘若他可以出手，就一定要用黑熊的力量擊倒他。沒錯，如果當初不是地鼠傳來了「電觸」的刺痛，自己應該還有一鬥的能耐。

「人類是沒有辦法對付老三、老六的。」鏡中人說。

喬亞暗暗佩服起鏡中人來，只是幾個問題，他就知道自己的想法。不過喬亞相信人類不是沒有勝算的，至少在第二次對上納西斯或猶達時，他都能活用自己的智慧去對抗他倆。

——只差一點點！

「我的祖先呢？」真魚問。

「老五在水中是無敵的。」

「但一旦離開海洋呢？」喬亞問。

「他就只能利用水都的工具，但沒有無限復原能力，他在陸地上跟普通人類無異。」

真魚暗想她與姐姐離開海洋後，不能隨意使用「活水」，確實力有不逮。

「人魚族有制伏你們的工具嗎？」

「當然有。」

「譬如呢？」

「光魚，牠的光能減低老大的威力。」

「還有那頭盔？」

「頭盔是餌，可以吸引光魚。」

喬亞與真魚互換了眼色，開始相信了鏡中人的話。德古拉的弱點是光，這正好解釋到光魚不斷複製自己分身的原因。

「光魚和頭盔都是祖先製造的嗎？」真魚問。

「不是。」

鏡中人說了一個讓喬亞、真魚都失望的答案。

「是父神。」

「神？」

「他不是神，他是一名人類。」

真魚難以置信地看著喬亞，若鏡中人說的是真的話，身為人類的喬亞、溫妮雅怎會毫不知情呢？

喬亞輕聲說：「你們也不能夠令白船升上水面。」

真魚明白喬亞的意思，人魚族可以忘記操作白船的方法，人類不知道如何製作這些工具的方法也合情合理。

「老五竟然沒有留下操控它們的方法。」

「或許有，但傳了這麼多代，什麼都忘記了。」

「看來你們跟人類的發展也差不多。」

「差不多？」

「或許是戰亂、饑荒，又或許是疾病，令人類走上滅亡之路。」

「但我們仍活在這世上。」喬亞說。

「如果你們是舊世界的人類的話。」

「舊世界的人類？」喬亞從來沒有想過這種說法。

「至少舊世界沒有我們八個的存在。」

「你真的是排行第八的唐靈嗎？」喬亞說。

「我不是叫唐靈。」

「那你叫什麼呢？」

「圖靈。」

喬亞暗想叫唐靈好，圖靈好，也不能擺脫他是「八大惡」之一。

圖靈續說：「自從老五死後，人魚族只有兩代人來找過我，後來的事我已經不大清楚，一切都只是我的猜測。」

「但你可以跟戴著頭盔的德古拉聯繫？」喬亞猜測。

真魚震驚地看著喬亞，已猜到喬亞是戴了頭盔之故，才進入這個奇怪的雪國。

「沒錯，老大實在太厲害了，我們不得不用這種做法。」

「你如果一直監視他，為什麼讓他逃掉呢？」真魚問。

「那頭盔確實接駁了老大的腦袋，但老大的能力實在太強，竟然可以強迫自己進入『冬眠』的狀態，每隔一段很長時間才醒來一次。」

喬亞恍然地說：「因此到我戴上頭盔，你才發現他已逃走。」

「沒錯。」

「你喚我來是為了什麼呢？你不是能通過頭盔跟我說話嗎？」

「過了這麼多年，我對世界的控制也漸漸減弱，跟頭盔的聯繫時間也逐漸減少。而且有一件事，我想親眼看看。」

「看什麼呢？」

「到底你是什麼生物呢？」

「我不是人類嗎？」

「不可能，那頭盔只能接駁老大、老五及其後人的腦袋，不要說人類，連老三、老四都不能，否則父神及老五早讓他們每人各戴一個。」

真魚失笑說：「你們怎會這麼笨呢？」

喬亞愕然地看著真魚，她指指他臂上的手鐲，說：「手鐲可以令他擁有人魚的能力，他跟人魚是沒有分別的。」

圖靈說：「你說得有道理。」

「那麼你已經沒有事要找我吧？」

「當然有。」

「是什麼事呢？」

「就是教你擊敗老大的方法。」

「為什麼是我呢？」

「我也不想拜託你。但如果你不阻止他，他就會令人類變成他的奴隸。」

「不是用光可以制伏他嗎？」真魚說。

「如果他躲起來，只命他的軍隊出擊。他就可以做黑夜之王。」

經歷過與端芮的一戰後，喬亞確實相信吸血魔有如此能耐。

「你有方法對付他的軍隊嗎？」

「我沒有。他的軍隊比他更厲害，可以算是無敵。」

「那該如何是好？」

「就是把老大的軍隊變成人類的軍隊。」

喬亞震驚，但想來這確實是可行的辦法。

「要怎樣做呢？」

「方法有兩個。第一個方法就是將頭盔套在老大的頭上……」

「這絕對不可能，我們過不到做他奴隸那一關。」喬亞想起端芮這個「吸血魔」二代。

「第二個方法就是找個有強大統率力的人，利用他的氣魄、意志力截斷奴隸與老大的聯繫。」

「他可以嗎？」真魚指著喬亞。

「我慣了獨行，應該不可以。」喬亞說。

真魚瞟了喬亞一眼，暗想他倒有自知之明。

喬亞說：「即是要找國王嗎？」

「如果他夠德高望重的話。」圖靈說。

喬亞想起克遜，他的大師兄，王都的二王子，未來的國王。

「但你們一定要快一點。」

「你的力量越來越薄弱嗎？」

「沒錯，而且還有更重要的。」

「更重要的？」

「為了制止老大，我只能關閉系統，這會造成世界大混亂。」

「世界大混亂？」喬亞暗想，他的話不會太誇張嗎？

「我存在於世，有兩個責任，其一是防止德古拉他們逃走，其二是維持世界的秩序。」

「世界秩序？什麼秩序呢？」

「世界從前不是現在的樣子，人類之所以滅亡，是他們頻繁交往的結果。我的其中一個責任就是把人類分隔在不同的土地上，不讓他們接觸。」

「不讓他們接觸？」

「假如他們乘船離開土地，無論往東南西北走，最終也只可能回到本來的地方。」

喬亞說：「真的可以做到嗎？」

真魚則說：「為何我們人魚族不受影響？」

「只要控制了人類在海上的方向，他們以為向西走，其實是向東走，就可以了。我不知道你明不明白，我只要令他們在海上迷路就可以。」圖靈又說，「老五是我的夥伴，因此我的使命不包括他。」

「使命？」喬亞探問，「是誰給你的使命？」

「就是我們的父神。」

「你們為什麼要聽他的話呢？」

「用人類的話，他就是我們的父親。」

「父親？你們八個豈不是兄弟嗎？」

「你誤會了，他是父神，是我們的製造者。」

「人類麼？」喬亞的眉頭皺得很緊。

圖靈說：「你說得沒錯，我們的『父親』眼見世界快要毀滅，人類即將絕種，就製造了我們八人去延續人類在世界的命。」

喬亞說：「但你們不是人類。」

圖靈說：「你說對了一半，我們確實不是人類，卻是『亞人類』。」

「我們都是『亞人類』嗎？」真魚沒法把自己與雷克蘭、納西斯或猶達混為一談。

「可以這樣稱呼，但由於製造出來的方法不相同，我們其實不是同類。」

真魚呼了口氣，一時三刻仍然沒法接受圖靈的話。

「但你們之間出現了逆子，不，應該稱呼為叛徒，他們背叛了父神的意旨，殘殺了人類。」

「你說得沒錯。

「我們分成了三派，以老大為首，老三、老四、老七是他的盟友，希望統治或消滅人類；而老五、老六和我跟父神組成聯盟；還有希望置身事外的老二。」

「最終你們取勝了，也演變成人魚族囚禁了德古拉他們的局面。」

「沒錯，在父神和我的協助下，老五成功囚禁了老大他們。不過同時也引發了另一個問題。」

「什麼問題？」

「人類經歷這場大戰後，幾近滅絕，只有極小部分的人存活下來。」

「你就負責分隔人類？」

「我負責分隔人類，老六則負責保護我。」

「你們還怕誰？」

「老二。」

「但他不是不屬於任何一派嗎？」

「這才是最可怕的，只要他傾向某一方，某一方就會有壓倒性的優勢。」

「曼陀羅是什麼傢伙呢？」

「我不知道人類世界怎樣稱呼他，但他擁有控制所有植物的能力。」

「植物？」

「雪地正是植物的剋星。」

喬亞、真魚都沒有再說話，他們需要一點點時間去消化圖靈的話。圖靈說的一切都超乎他們的想像，但又合情合理。

「你們不相信我的話嗎？好吧，我讓你們看一點點東西。」

說罷，鏡中的圖靈消失了，換成了別的景象。

就像在黑龍劍中所見，不同的是他倆看到的不是溫妮雅和真由遇險，而是無數人類在吸血魔德古拉的操控下，攻擊其他村落。那些村落有非常高的巨塔，還有很多鐵鳥、黑船及其他奇特的運兵車、船，可是這些武器都沒法傷害德古拉，村民只能互相殘殺……

雷克蘭、納西斯，還有一個他們不曾見過的傢伙站在德古拉身旁，意氣風發……

然後，喬亞和真魚想再看下去時，鏡子裡的景象竟然停了，換回圖靈的臉孔。

第三十五章　以一敵二

飛鷹很快飛了回來，喬亞伸出黑龍劍迎接牠。

牠融入劍內，思緒流入喬亞的腦海中，他臉色頓時一沉。

「沒有了嗎？」真魚問，「祖先呢？」

「我只看到這些。」圖靈說，「我也可以製造你祖先的景象，但那是假的，你會相信嗎？」

喬亞想起被頭盔帶到的地方，那應該是圖靈製造的幻象。

「你們還有什麼問題？」

「能夠有方法對付雷克蘭、納西斯嗎？」喬亞說。

「還有艾基特林。」真魚也說。

「他們也逃走了嗎？」圖靈續說，「那麼你們快點找老六。」

「但他失常了。」真魚說出了猶達的異樣，還有溫妮雅如何被猶達生擒。她一面說，一面留意喬亞的變化，但他一臉木然，情緒沒有任何波動。

「我會關上系統，雪蜃樓就會停止下來，老六應該會稍為清醒。你們就去勸服他。」

「雪蜃樓？」喬亞說。

「一個地方沒有可能永遠處於惡劣的天氣之下，一切都是人為的。」

「作用就是不讓曼陀羅進入這裡嗎？」真魚問。

「沒錯。」

「你不能離開這裡嗎？」喬亞忽然問了一個真魚從來沒有想過的問題，「你也被囚禁在這裡嗎？」

「你誤會了，這已經是我的全部了，你們看見我的樣貌，是我製造出來的。我就是你們眼前看到的櫃子。」

「櫃子？但你的身體大得驚人，那甬道、那個大房間……」喬亞說。

「我換另一個較簡單的說法，我是一座有生命的城堡。我在這個世界不同的地方有出入口，但我的生命能量已接近耗盡，只能在最後關頭多做一次，替你們擒下老大他們，也算是為父神做的最後一件事。」圖靈說。

「我還有一個問題。」喬亞說。

「什麼問題？」

「就是我們身處在何方呢？」

「我們在王都西方的大雪山之上，是我的能力把你傳送到這裡。」

「大雪山麼？」喬亞轉身離開房間。

「你們去找猶達時，可以把頭盔留在這裡。」

「為什麼呢？」

「一來它的能量不足，二來我可以嘗試把自己的部分意識轉移進去。」

「什麼？」喬亞、真魚都看見對方眼神中的徨惑，但既然黑龍劍可以擁有自己的意志，頭盔有自己的意識又有什麼不妥呢？

「你相信他的話嗎？」真魚看著喬亞，本想追問，但暗想這裡應該還算是圖靈的肚內，也就不說了，默默地跟著喬亞而去。

喬亞像知道她要說什麼，竟然說：「我只相信看到的。」

真魚說：「那些片段？」

喬亞不置可否，獨自走在前頭。他們走到甬道的入口，如果圖靈沒有說謊的話，迎接他們的應該是晴朗的天氣吧！

他們走了出外，登時被眼前的景象所震懾。

暴風雪已經停止，白日高掛，銀色的雪鋪滿山頭、掛在樹上，閃閃生輝。

「雪果然停了。」真魚說。

喬亞沒有說話，一頭飛鷹從黑龍劍劍身飛了出來，直衝往天上。

真魚右手按著地面，不一會兒，一條水柱破地而出。

這水柱雖然很快又變回冰柱，但真魚亮起笑臉之際，冰柱從中裂開，地下水湧得更高。

「我們快點去找溫妮雅。」

喬亞沒有答她，靜靜地等飛鷹回來。這裡是猶達生活了過千年的地方，不能貿然行動。他知道必須知己知彼才能萬無一失。

飛鷹很快飛了回來，喬亞伸出黑龍劍迎接牠。牠融入劍內，思緒流入喬亞的腦海中，他臉色頓時一沉，說：「怎麼他們也來了呢？」

「他們？」真魚本以為「他們」是指姐姐和義弘，但看見喬亞那一臉的灰沉，她就知道來者不會是人魚族，「是你的敵人嗎？」

「是我們的老敵人。」

真魚腦際閃過兩個名字，卻不敢說出來。

「真由他們在哪裡呢？」喬亞急問。

「姐姐仍在海中，等待著光魚行動；義弘應該已回到水都。」真魚說，「我們先去找姐姐？多她一人，我們才有勝算。」

喬亞搖首說：「圖靈沒有說錯，這裡是王都西面的大雪山，跟水都的東海剛好一東一西，一來一回，至少個多月。」

「什麼？」真魚訝異地看著喬亞，「我請圖靈送我們回去。」

「來不及了。」

「我們兩個可以嗎？」真魚語氣卻不似在詢問。

「不是可不可以，而是必須做。」喬亞說得更堅定。

「猶達、溫妮雅呢？」真魚說。

「飛鷹看不見他們。」

「什麼？會否是圖靈弄錯了，送了我們到別的地方呢？」

「我不知道，但有一件事可以肯定。」喬亞一頓，續說，「他們已經和好了。」

真魚咬咬牙，說：「即是不能再挑撥他們嗎？」

喬亞說：「如果我們的話能夠比他們的手腳快。」

真魚眉頭皺得極緊，猜不到她的「活水」可以運用之時，又要面對比猶達更棘手的敵人。

「我、你和溫妮雅都不是他們的目標。」喬亞說。

真魚回頭看著洞口，說：「是圖靈嗎？他們想要什麼呢？」

「或許是尋仇，或許是結盟。」

「哪種機會大呢？」

「我不知道。」喬亞又說，「但唯一可以肯定的是雷克蘭穿不過這個洞口。」

「那納西斯呢？」真魚說，「如果是一個篩子，這個洞口就能夠分開他們。但光對納西斯沒有用，他在白天仍行動自如。」

喬亞說：「那大鐵箱是個密封的空間。」

「如果能夠把水引進去的話……」

「我去引開他們。你回去告訴圖靈現在的情況，順道問問雷克蘭和納西斯的弱

點。」

「我們一起去吧？」

「狼的鼻子很靈敏，應該很快找到這兒。」

真魚明白喬亞的想法是對的，但她實在不想喬亞再冒險，每一次也是這樣子，擺脫光魚時他已經獨自行動。

「由我來吧！」真魚說，「只要找到水源，就可以拖著他們。」

「我能夠飛。」喬亞說出關鍵的話。

真魚不再說話，咬著下唇，心有不甘地走進洞口。她走了進去，回頭看著喬亞的背影，直至他消失在眼底。

喬亞朝著山頂跑去，雖然已經沒有暴風雪，但積雪仍然深厚，喬亞又不慣雪地走動，漸覺得舉步維艱。但他沒有呼喚黑龍或其他動物，他深深明白到雷克蘭、納西斯的厲害，每一著都要小心行事。如果又被納西斯吸食了生命能量，今次應該很難脫身吧……

喬亞再跑了一會兒，覺得這地方很理想，就呼喚出黑龍。他跳上黑龍的背，說：

「老朋友，我可能又要在你的體內住一段日子。」

黑龍仰天呼嘯，揚了揚巨翼，就往天上飛去。

太陽之下，銀雪之上，黑龍的渾體漆黑，是多麼的奪目。

喬亞站在黑龍之上，順著清風，一直往遠方飛去。

他與屍邪鬼、人狼王交手了這麼多次，已深明「法術勢」未必是他們的對手。他們的年歲、經驗不知道是自己多少倍，他一個活了二十年的黃毛小子只能憑靈活變通去取勝。

黑龍低頭掃視著四周，觀察著地上的一切變化。

突然雪地上傳來騷動，數十頭灰狼追著黑龍的影子，揚起了陣陣雪煙。

——終於上當了！

接著一個龐大身影隨後而至，喬亞不用跟黑龍同步，也知道隨後來的是自稱「人狼王」的雷克蘭。

雷克蘭身旁有一道灰色人類的身影，不消說當然是納西斯。

喬亞依舊詐作看不見他們，與黑龍繼續飛遠。

他大概已經猜到雷克蘭與納西斯的驚懼，也猜到他們的對話：

「那小子不是已經死在你的劍下嗎？為什麼復活了。」

「我也不知道，不過我們應該要猜猜他為什麼在這裡呢？」

「難道他已經跟老八見過面嗎？」

「老八知道我們的弱點。」

「知道了又如何，一個普通人類能夠做什麼呢？」

「但他不是普通人。」

「我們是追，還是不追呢？」

「當然追，他現在一個人。」

「如果是陷阱呢？」

「但他完全不看我們，不像是陷阱。」

「好吧，我們先殺這小子。」

「當心老五的後人在附近。」

——差不多了。

喬亞吸了口氣，黑龍在半空徘徊幾個圈，表現出這一刻才發現雷克蘭、納西斯兩大惡的驚懼神情。

雷克蘭也不甘人後，仰天狂嘯，接著數十頭灰狼也一起呼嘯。此起彼落的狼嚎聲充斥雪地，十分嚇人。

黑龍拍動羽翼，在半空穩定了身體。

喬亞居高臨下，狠狠地盯著雷克蘭、納西斯。

「小鬼，我們又見面了，你的老相好呢？」雷克蘭譏笑。

「我才要問你們，你們是什麼時候和好呢？」喬亞往地上喊過去，「你們已經分好排名嗎？」

「老四，他竟然想離間我們。」雷克蘭說。

「小鬼，看見我們還不逃走？」納西斯冷冷地說。

「你們能夠飛嗎？」喬亞雙手環胸，自負地說。

雷克蘭何曾見過人類如此高傲，氣忿地說：「不要這麼囂張，你的老相好該在附

近，我一會兒殺她的時候，不怕你不下來。」

喬亞說：「你們隨便找吧，我就去找德古拉算帳。」

雷克蘭、納西斯聽見「德古拉」這名號，渾身一震，顯得有點不自在。

「你找他幹什麼呢？」雷克蘭問。

「當然是消滅他。」喬亞說。

「憑你一個？」納西斯冷然地說。

「光嘛，難道你不知道我能夠像召喚黑龍般，召喚出會發光的聖獸嗎？」

「你已經見過老八？」納西斯問。

「我也知道了控制德古拉的奴隸的方法。」喬亞索性把話說得更滿。

納西斯臉色一沉，記起了當日在河邊，也以為自己可以控制端芮，怎料端芮突然發狂，掙脫了他的控制……

雷克蘭突然指著納西斯，問喬亞：「你知道這傢伙的弱點嗎？」

喬亞暗想這傢伙果然不容易對付，只好說：「你想對付他？我當然知道你們的弱點，但我現在只有一個人，應付不到你倆。」

雷克蘭失笑說：「老四，這小鬼不肯說出你的弱點，顯然是說謊。」

「你可以不相信，下次落單的時候，看看誰怕誰呢？」喬亞腦海飛快地搜索跟納西斯兩次交手的情況。

——第一次看見他，被他追趕至河邊，幸好他不能飛。

——不，這不是第一次看見他，第一次看見他，他還是浸泡在水中的死屍，如果不是我們葬了他……

——我怎麼沒有想起來，還有那次溫妮雅逃進水中……

「老四，我現在就去找老八。你獨自試試這小鬼的能耐。」

喬亞罕有地捧腹大笑，說：「雷克蘭，你也太少看我了。」

「什麼？」

「你想乘我們交手之際，偷襲我吧？」喬亞說。

「我只知道你在虛張聲勢。」雷克蘭說。

「是嗎？」喬亞又說，「納西斯，最近的湖泊在哪兒呢？」

雷克蘭錯愕地看著納西斯，納西斯本來已是死人的面色沒有什麼變化，但顯然已掩蓋不住他內心的震驚，身體繃得異常的緊。

喬亞吞了口涎沫，納西斯的弱點果然是水，在水中，他就不能復活。

「老四，你被看輕了。」雷克蘭失笑說。

納西斯正想說話，雷克蘭突然撲向納西斯。

「你想幹什麼？」納西斯雙手遞出，攻向雷克蘭。

雷克蘭閃身避開，一手捉住納西斯往天上拋去。

納西斯暗罵了雷克蘭一聲，但仍順著力道，雙手直伸，勢如破竹飛向黑龍。

喬亞料不到雷克蘭竟然把納西斯當作長矛，雖然及時心念一轉，讓黑龍往上飛起，可惜終究還是遲了一步，被納西斯擒住了黑龍的左腳。

「我們一齊下地獄吧！」納西斯說完，一對黃色的眼睛露出兇光，左手切向黑龍的腳掌。

喬亞怎會讓納西斯使出這招，當機立斷把黑龍變回黑龍劍。

納西斯與喬亞同時失去「據點」，一齊跌落地面。

納西斯「砰」聲摔落地上，一時三刻竟然沒法站起來。

反而喬亞在差不多跌至地上一刻，背上生起兩隻黑色的翼。黑翼拍動，減輕了喬亞下墜之勢，安然著陸。

喬亞抬頭看著四周，發現自己竟然離納西斯有一段距離，禁不住呼了口氣。

他看著著應該跌至「粉身碎骨」的納西斯，並不敢靠近，當然亦不會再笨得召喚出任何生物。

「我走了。」喬亞說完，轉身就走。

「往哪裡走？」納西斯本想欺喬亞大意，怎料喬亞竟然沒有中計，他只好當先發難，從地面彈起來，撲向喬亞。

喬亞拋出黑龍劍，劍又化作黑龍，撲向納西斯。

「老朋友，這次讓你大顯神威。」

喬亞與黑龍同步，雖然喬亞要身受黑龍之苦，但黑龍也同時擁有喬亞的智慧，再不是胡亂的打鬥。

納西斯張口要往黑龍身上咬去，黑龍揮動左臂，打在納西斯的胸前。

納西斯立即換招，抓向黑龍的左前臂，登時露出清晰的爪痕。他張開口，想吸食黑

龍的生命能量，可是與上一次交手一樣，沒有任何黑氣自黑龍的體內散發出來。

「又是這樣子。」

納西斯大叫一聲，回身飛撲入密林之中。

不是夜晚，又沒法吸食對方的生命能量，他只有一件事可以做，就是逃。

喬亞看著納西斯逃走的背影，呼了口氣，第三次與納西斯交手，他終於佔了上風。

——人類終於有勝機了。

「老四真會躲懶。」雷克蘭的聲音未到，數十頭灰狼已經重重包圍著喬亞。

喬亞讓黑龍變回利劍，回到自己手上。

「他可能乘我們交手之際，來一招偷襲。」喬亞說。

雷克蘭說：「他沒有這樣的機會。」

「為什麼呢？」喬亞說。

「因為他就在你的背後。」雷克蘭說。

喬亞心底一駭，回頭看去，卻不見納西斯。

「你上當了。」雷克蘭撲至喬亞的身後。

喬亞冷冷一笑，背部生出八條觸鬚。

「他古！」雷克蘭果然知道這個八爪魚家族。

「砰」的一聲，雷克蘭被一條觸鬚打個正著，往後飛去。

喬亞本來以計算計，棋高一著，但他臉上沒有半點高興。

就在雷克蘭被打中之際，一道黑影閃了出來，二話不說就撕斷黑色他古的一條觸鬚。黑色的生命能量登時滲了出來，鑽入黑影的鼻腔。

喬亞咬咬牙，收回八條觸鬚，才不至於被對方吸走大量的生命能量。

「你的反應倒比從前敏捷了。」黑影說。

「老四，你果然心知我的想法。」雷克蘭說。

沒錯，黑影正是去而復返的納西斯。

「怪就只怪你知道我的弱點。」納西斯說，「但我不會殺死你，帶我們見老八。」

第三十六章 混戰

只要扭斷他的頸，讓他的頭身分離，
縱使永恆不死也不能再作惡。

喬亞低頭看著手上的黑龍劍，剛剛被納西斯吸走了少許生命能量，一時三刻是召喚不到黑龍的。不過縱使他召喚了黑龍，黑龍頂多只能應付雷克蘭或納西斯其中一個，兩個的話，黑龍可能隨時被殺，無法變回劍的形態。

「你別想挑撥我倆。」雷克蘭說。

喬亞扭動頸項，握劍的手更緊。

「你要做傻事？」雷克蘭說。

「至少有一件事，我可以百分百肯定，就是猶達一直在等你們的破綻。」喬亞說。

「什麼？」雷克蘭錯愕之際，喬亞竟然握劍衝向自己。

——很快！

雷克蘭定定神，才發現喬亞胯下是一頭黑豹，難怪動作如此敏捷。

他揮動巨爪，迎上黑龍劍。

喬亞力氣不及雷克蘭，劍爪交擊，登時被彈上半空。

「休想逃！」雷克蘭破口大罵，黑豹卻撲入他的懷裡，阻止他的行動。

他的利爪貫穿黑豹的身體，濃濃的生命能量往上升起，回到喬亞的身上。

果然如他所料，喬亞借著他的力道，躍上半空，同時召喚出巨鷹，握著他的手臂飛得高高的。

雷克蘭正想罵納西斯不肯追擊之時，卻見幾頭黑色的土狗包圍著納西斯。

納西斯的四周有不少黑氣游走，他應該殺了不少土狗，並吸食了那些生命能量。

雷克蘭暗想大意，喬亞竟然不惜犧牲自己的生命能量逃走。

喬亞人在半空，低頭看著雙惡，感到前所未有的疲累，為了逃走，他差不多盡把生命能量釋放出來，餘下的僅僅夠變出一頭巨鷹。

有些生命能量回到他的體內，再次化為己有，不過更多的被納西斯吸收了……

喬亞吸了口氣，大聲說：「猶達，你到底要躲到什麼時候呢？」

雷克蘭冷笑說：「老六，你快點出來吧！」

納西斯幹掉最後一頭土狗後，說：「老六不像我們，被囚禁了這麼久。說不定他像這些新人類，有特別異能。」

雷克蘭說：「單打獨鬥的話，我不是他的對手。但他不怕我的狼兒嗎？」

納西斯沒有說下去，他有了另一個想法，喬亞這小子如此聰慧，不會把猶達這底牌輕易露出來，他的話就是要他們分神，以為埋伏在四周的只有猶達這雪猿，他早前不是與真由、真魚一起被黑龍劍斬殺嗎？既然他沒有死去，真由兩姐妹也可能安然無恙。她們加上這小子，比猶達更難應付。

「我們去追他。」雷克蘭說，「我們在這一帶找了五天五夜，也找不到老八，剛剛風雪停下來，就被我們發現這小子，算是他走歹運。」

納西斯臉上不露聲色，微微點頭。

「你真乖，老大的教訓定是很不好受了。」雷克蘭揶揄說。

納西斯咬咬牙，真的恨不得把這個獸人和他的狼子狼孫一起擊殺。但他必須忍耐，在沒有找到老大奴隸軍的弱點前，他不能輕舉妄動。

巨鷹朝著不遠處的山頭飛去，喬亞卻全沒有動靜，看來早已昏迷過去。

雷克蘭朝天呼嘯一聲，領著狼子狼孫追了過去。

納西斯遠遠落在他們的身後，以免墮入喬亞的圈套。

巨鷹挽著喬亞，越飛越慢，也越飛越低，看來也差不多到極限。

雷克蘭看在眼裡，暗想：「這小子是在擾敵嗎？」

他喜歡玩弄敵人，當然也心知這些示弱之計，正想叫納西斯先行一步，卻發現這傢伙遠遠落在身後，罵了一聲「膽小鬼」，發力狂奔，拋離了狼群，直奔向山頭。

狼群見老大如此拚命，也爭先恐後地追著雷克蘭。

巨鷹飛到山頂，終於乏力地跟喬亞一齊倒在地上。

「這小鬼終於落入我的手中。」雷克蘭兩腳鼓足氣力，往前一跳，越過大半個山頭。

只要再多跳三下，他就可以躍至喬亞降落之地。

他身在半空，幻想著如何折騰喬亞之際，忽然發現白色的雪花又再次落下。

「老六，別太狂妄。」

雷克蘭落地後正要再跳下去，漫天風雪捲得周圍蒼白無色，一下子就掩蓋了喬亞降落的山頂。

「老三，別上當。」納西斯在背後叮囑。

雷克蘭臉色一沉，不理會納西斯的話，暴跳而起。

可是他如是者再跳了三次，也沒法跳到山頂。

他只好仰天呼嘯，召集狼群。

狼群與納西斯來到他的臉前，雷克蘭一臉忿恨，說：「又是這些會令人迷路的風雪。」

「你玩得太過了。」納西斯說。

「什麼？」雷克蘭以一雙赤紅的眼睛瞪視著納西斯，說，「你也太囂張了。」

納西斯說：「這是事實，至少你的狼群在暴風雪下，嗅覺大減。」

雷克蘭咬牙切齒地說：「我一定會把那小子和老六碎屍萬段。」

「你們在找我們爸爸嗎？」

雷古蘭抬頭看著山腰，看見一道白色的身影高傲地站在前方。

「你們爸爸？」

沒錯，那白色的身影正是白猿猶達，不過從他的話看來，他又變回阿猶或阿達其中一人吧！

「我們爸爸就是猶達。」

雷克蘭與納西斯對望一眼，都顯得難以置信，當年一戰的勝方，除了老五人魚阿塔加蒂外，老六白猿猶達竟然都有後代，難道是父神給予他們的獎賞嗎？

——這真不公平。

雷克蘭掃視著身旁的狼子狼孫，暗想如果他們能夠跟自己長得一模一樣，他這個人狼王才算是稱職的大王吧！

「我們嘛！」

納西斯細心咀嚼這兩個字，同時環視著四周，生怕其他白猿會突然出現。

他雖然可以吸食生命能量，但對於同是「兄弟」的「八大惡」卻完全不管用。他也嘗試過吸食老五的後代，可是情況也是一樣。倘若這些老六的後代的數量跟人魚族差不多，一擁而上，老三縱使有數百頭狼，也不是敵手。

況且在暴雪之下，狼群疲態畢現，顯得垂頭喪氣。

——還差少許就可以成功，真糟糕！

納西斯極不服氣，但也不得不勸勸雷克蘭：「只要有幾個老六，我們絕無勝算。」

「膽小鬼。」雷克蘭狠狠地罵，心下卻禁不住冷笑，他當然沒有告訴納西斯，四周都嗅不到其他雪猿的氣味。

雷克蘭揚揚手，十多頭灰狼冒著風雪，撲往山上。但風雪實在太大，灰狼的行動嚴重受阻。

「老四，生擒他，好威脅老六。」雷克蘭說完，往左走去。

納西斯怎會不明白他的心思，迅速往右方走去。

他們一左一右，只留下狼群從中路前進吸引故人之子的注意力。

雷克蘭身手敏捷，不消一刻，已經爬到山頂。

故人之子就在自己身旁，雷克蘭屈曲雙膝，用盡全力，朝天躍起。

巨大的黑影籠罩著對方，勝負應該只需要一瞬間就能分出來。

猶達之子卻料到這一著，往旁一閃，拳頭連隨朝天揮出去。

雷克蘭暗想不愧是猶達之子，揮拳動作渾然天成。

幸好他早找了納西斯合作，這傢伙雖然膽小，但挺會把握偷襲的時機。

果然在雷克蘭中拳的剎那，納西斯已經走到猶達之子身後，右掌向前急刺。

「換我來！」猶達之子莫名其妙說了一句，朝天躍起，翻了個筋斗，對著納西斯的頭頂踢過去。

納西斯完全反應不到，只來得及看見一隻巨大腳掌，已被踢倒地上。

「你這頭大塊頭，死大腳怪！」

雷克蘭見狀，冷冷一笑，再次發勁向前衝，右拳猛然轟向快要落在地上的猶達之子身上。不過對方的技擊術實在太厲害，在半空扭動身體，雙腳竟然纏著了自己的右臂。

雷克蘭心知不妙，連忙朝天跳起，也幸好他反應敏捷，就在他雙腳離地的一刻，猶達之子以手代足，以足代手，把雷克蘭往地上摔去。

雷克蘭大叫一聲，以蠻力掙脫對方的糾纏，借勢往遠處滾去。

——這感覺真討厭。

雷克蘭落地即揮舞右爪，嚴防被對方偷襲。

納西斯乘雷克蘭被擊倒之時，迅速爬起來，並退得遠遠。

——這傢伙厲害得就如猶達親臨，假如再多一個，又或猶達趕至，我們根本沒有勝算。

雷克蘭看著納西斯，納西斯也看著雷克蘭，顯然他們都有相同的想法。

「老六竟然教出如此本事的兒子，挺讓我羡慕。」雷克蘭擺動身軀，不斷搖晃利爪。

納西斯目光投在遠處，盯著暴風雪，暗想這麼大風雪，根本判斷不到現在是白天，還是黑夜。只要到了黑夜，他和雷克蘭的力量就會倍增，這也是他們和老大、老七結成聯盟的主因。他們四個都是屬於夜，不像老二、老五、老六和老八是屬於白天。

「捉住他！」雷克蘭猛地大叫。

——他要逃嗎？

納西斯聽得一頭霧水，只見雷克蘭往猶達之子撲過去。

猶達之子連忙向後翻了筋斗，避開了雷克蘭。

雷克蘭一爪落空，配合腳步，再攻了幾爪，但統統被猶達之子避開。

「你這頭猴子！」「站著！」「不要走！」雷克蘭邊喝邊追，但無論怎樣費勁，也只能作為猶達之子筋斗下的陪襯。

納西斯看在眼內，心底生出疑問，雷克蘭向來喜歡玩弄對手，何曾有過如斯醜態。

雷克蘭漸漸跟不上猶達之子的腳步，對方也顯然看到箇中的差異，筋斗翻得沒有之前的密集、多，也開始了反擊，每翻三個筋斗就踢雷克蘭一腳。

雷克蘭吃了對方一記重腳，仆倒在地上，右手插在雪下。

猶達之子見狀，朝天躍起，厚實的腳跟踏向雷克蘭的頭頂。

納西斯當然知道唇亡齒寒的道理，飛撲向雷克蘭。他這一撲，去勢甚猛，原來在不知不覺，日月交替，已經入夜了。

「老三！」納西斯罕有地大叫。

雷克蘭猛然抬頭，藏在雪地下的利爪朝天揮去。猶達之子看來早預計到這個情況，扭身避開，不料才想閃往一旁之際，左腳竟然被雷克蘭左手擒住。

幾乎在同一時間，納西斯右手插往猶達之子的左肩。

雷克蘭冷笑，納西斯果然明白「捉住他」並不是叫他去生擒對方，而是由自己負責。

納西斯的右手擦過猶達之子的左肩，鮮血登時和著雪花，四處翻飛。不過納西斯意猶未盡，不住揮動雙手，瘋狂地抓向對方。

他的爪雖然及不上雷克蘭的巨爪，但只要被他抓過，留下傷口，他就可以吸食對方的生命能量。

納西斯張口試圖吸食對方的生命能量，可是卻一無所獲。

——果然對大家的後代是沒有用的。但剛才那一腳……

納西斯先略帶失望，後微微震驚，嚇得彈了開去。

猶達之子也乘機右腳向前踢，踢中雷克蘭的肩部，這一腳雖然力道很細小，雷克蘭的左手竟然自動放鬆了。

似曾相識的感覺湧了出來，雷克蘭驚懼地站了起來，先看看猶達之子，再看看納西斯。

納西斯說：「猜不到是你。」

聽見他的話，雷克蘭也知道自己沒有猜錯。

這個在他們面前裝神弄鬼，說什麼自己是老六之子，並不是其他人，而是老六本人。

「老六！」雷克蘭狠狠地盯著眼前的白猿。

「你們挺厲害，半招已經迫得我的大兒子要現身。」

納西斯問：「你什麼時候養成吃親兒的習慣呢？」

「你誤會了，是他們自願住進我的體內。」

納西斯聽見猶達的話，與雷克蘭換了個眼色，他們都在想如果不是父神或者老八幹的好事，猶達的頭腦可能已經壞了。

「倒是你們，竟然成功逃獄。」猶達續說。

「你別太囂張，我們以二敵一。」雷克蘭說。

「但你們忘記了一件事，就是在風雪中，我是無敵的。」猶達振臂高呼。

「但你也忘記了一件事，現在已經是夜晚了……」雷克蘭還沒說完，身體突然膨脹起來，四肢變得更粗壯。

納西斯續說：「你的技擊術連老大也深為害怕，但對猛獸管用嗎？」

猶達說：「我最討厭你。」

雷克蘭仰天長嘯，四肢穩穩站在地上，變成一頭巨狼。

「這是你最後機會。」納西斯說。

「我們都不會死亡。」猶達說。

「但老五死了。」納西斯說，「應該是產子令他的力量變得衰弱。你也是吧？」

猶達尚未答話，雷克蘭已虎撲而上。

雷克蘭變回狼後，動作更見俐落。猶達想往旁避開，但顯然慢了一步，被雷克蘭貼近身子。

雷克蘭揮動右前腳，抓向猶達。

猶達斜身一閃，右腳順勢踢向雷克蘭的前臂。

雷克蘭中腳後動作沒有緩下來，反而左手向前抓去，掃向猶達的右臂。

猶達往後斜跳，乘勢雙腳蹬向雷克蘭的臉部。

雷克蘭只好舉臂擋格，猶達被彈開了幾丈外。

就在猶達飛退之際，納西斯的雙掌剛剛掠過他的下面，顯然猶達早洞悉他的攻勢，藉著雷克蘭的勁力，往後彈開。

「你果然很厲害。」納西斯由衷佩服說。

「老六，你的手受了傷。」雷克蘭說。

納西斯頓時想起自見回猶達後，無論是他口中的大兒子，還是自己，都是以踢腳為主。

「單手也可以擊敗你們。」猶達沒有否認雷克蘭的判斷。

「老四，我一個就可以。」雷克蘭狠狠地說。

納西斯暗想你又來逞英雄，但這正合他的心意，這兩個只管埋身肉搏的傢伙最佳下場就是兩敗俱傷。

「你們一向不咬弦，不怕他偷襲你？」猶達說。

「我們還要對付老八……」雷克蘭又再猱身撲上。這次來勢更猛，風雪完全阻擋不了他的行動。

猶達怎會肯跟他硬碰，腳步錯動，又往旁閃開。當然這一切已在雷克蘭的估算之中，又或者未必是雷克蘭估算得宜，而是猶達受傷後，動作不及往昔爽快俐落。

就在猶達閃開之際，雷克蘭竟然整個身軀撞向猶達。猶達閃避不及，被撞得飛了起來。

雷克蘭沒有給猶達休息的機會，急急捉住猶達的右手，把他往地上摔去。

猶達重施故技，兩腳代手，快速攀住了雷克蘭的右前臂。

雷克蘭跳了起來，右前臂連著猶達向著地面打去。

猶達乘雷克蘭跳起，擒著自己的力道稍減，扭動身體，不但掙脫了雷克蘭的擒拿，還乘勢扣著雷克蘭的頸項。

猶達用盡全力，要扭斷雷克蘭的頸項。

雷克蘭不住扭頭，想掙脫猶達的惡招，可是沒有半點作用。

——只要扭斷他的頸，讓他的頭身分離，縱使永恆不死也不能再作惡。

猶達打定了主意，也確實在「八大惡」之中，亦只有他的技擊術能夠讓雷克蘭陷入絕境。他雖然可以做到這一步，卻有一點致命傷，就是他的力氣不足。

雷克蘭雖然頸項疼痛如遭火灼，但仍咬著牙對抗，奮力地搖動身體，希望把猶達拋開。

如果雷克蘭不是渾身毛髮，他的頸項和心坎都應該充血過度而紅得驚人。

雷克蘭暗暗後悔，變成巨狼後，雖然速度和力量都更上一層樓，但很多仔細的動作都沒法做得來。

——原來人狼是最佳的形態。

——老六，就看看我們誰堅持到最後。

雷克蘭打定主意，正要往叢林衝過去，猶達的手卻鬆開了。

猶達狠狠地回頭說：「我果然最討厭你。」

納西斯平靜地說：「可惜吸不到你的生命能量。」

雷克蘭低頭看去，納西斯的右掌貫穿了猶達的右胸，鮮血淋漓。

「但你忘記了一件事。」猶達說。

納西斯急忙後退，猶達飛躍而起，迴身踢向納西斯。納西斯不肯與他糾纏，往後躍開。或許已經是晚上，納西斯的能力得到全面提升，也不見他如何費勁，已經跳到老遠。

「笨蛋！」雷克蘭才罵完，猶達已消失在暴風雪之中。

「你們儘管追來吧！」猶達聲音自遠遠傳來，漸漸跟隨著風雪消失。

第三十七章　再度重遇你

一把久違的女聲傳進喬亞的回憶中，聲音帶點倔強、帶點橫蠻無理，卻又熟悉如舊。

喬亞才倒在地上，風雪就開始刮起來，密密麻麻地圍著他。

不知道是風雪太厲害，還是他實在太疲累，眼前的景物漸漸變得模糊。

他伏下來休息了一陣子，稍稍提起精神，一頭黑豹自他胸口站了起來，背住了他。

——走吧！

黑豹背著喬亞，急速跑動。

喬亞已筋疲力盡，只能用僅餘的力氣抱著黑豹，讓牠帶著自己跑動。

——至少要休息一夜才可以召喚黑龍，現在只能依靠圖靈。真魚，你不要離開山洞！

——溫妮雅，你要等我！

風雪著實太大了，黑豹的速度漸漸緩了下來。

「夠了。」

喬亞説完，讓黑豹潛回體內。

他回頭看不見雷克蘭、納西斯追來，放下心頭大石。

喬亞看著上方，暗想這麼大風雪，除了黑龍外，什麼動物都沒法飛上半空。

——黑龍麼？

喬亞看著黑龍劍，突然升起了一個奇怪的念頭。

但凡他見過的動物，他都能夠變出來，那麼他應該也可以變出另一頭黑龍。但他從前試過很多次，都沒法變出黑龍，跟光魚的情況差不多。

他記得大賢者曾經說過黑龍是古代動物，超出他的知識範疇，一切只能由自己去尋找答案。

他本來也沒有打算尋找答案，但自從遇上「八大惡」後，他自覺有些事必須弄個明白，自己才能進步到可以跟他們對抗。

——憑我一個人，絕對不可能戰勝人狼王、屍邪鬼，必須依靠真魚，以及拉攏猶達。

——但我要怎樣做才能找到猶達呢？

——風雪如此猛烈，方向不明，也很難找回真魚和圖靈。

喬亞想著，眼光不期然落在手鐲之上。

——這手鐲除了是回到水都的導航外，也令人可以在水中生活。就是這麼簡單嗎？

溫妮雅可以變成水，難道不是它的功效嗎？若是如此，為什麼對我沒有作用呢？

——溫妮雅也戴著相同的手鐲，可以憑它找回她嗎？

喬亞脫下手鐲，頓時被寒流侵襲，渾身顫抖，牙關發軟。他連忙戴回它，深感人魚族技術之偉大，不過按圖靈的說法，一切都是舊人類製造出來的，連「八大惡」也一樣，但這是真的嗎？

喬亞按著手鐲，不一會兒，一隻黑色的貓頭鷹飛了出來。

——用盡你們的方法去找他們吧！

喬亞心念甫動，除了貓頭鷹外，幾隻小松鼠、雪兔也從喬亞身上走出來。牠們的黑色身影很快隱沒在風雪之中，喬亞斜靠著大樹，希望盡快恢復精神。如果現在遇上人狼王他們，喬亞已經不能再呼喚出任何猛獸應戰。但為了找回溫妮雅或真魚，他已經別無他選。

他一面休息，一面想著對付人狼王他們的方法。單打獨鬥，黑龍或有一鬥之力，但以一敵二，必敗無疑。黑龍對付屍邪鬼，就會被人狼王突襲；相反，黑龍對付人狼王，又會被屍邪鬼攻擊，而這兩大惡顯然不會分開。

——除非有另一頭黑龍，但黑龍你有同伴嗎？

喬亞抱著黑龍劍，被飄雪漸漸掩蓋，很快就再見不到身影。

「快點起來。」喬亞睜開雙眼，看見克遜站在自己的身前。

「師兄。」喬亞放下心頭大石，克遜的刀是他的救星。

不過他很快就發現事情的不對勁，眼前的克遜雖然一臉強悍，但眉宇間仍帶有點稚氣。

喬亞低頭看不見黑龍劍、也看不到手鐲，他只看到自己細小的手。

「師父説已經找到聖劍的位置，我們要動身了。」克遜説。

喬亞站了起來，看見大賢者、阿芙拉，久違的臉孔和身影，倒有種恍如隔世的感覺。

——師父不是已經病逝嗎？這應該是夢吧。

喬亞又闔上雙眼。

喬亞的意識漸漸恢復過來，眼前頓時換成了雪景。

——為什麼又會下雪呢？

——是圖靈做的嗎？他要用風雪困著人狼王、屍邪鬼嗎？

——還是想告訴猶達情勢危急？

——那些小寶貝還沒有回來啊！

——對了，我把小朗留了在美湖村。牠習慣嗎？

——這陣子每一天都過很漫長，我好像整天也沒有吃過東西。

喬亞仍然感到很疲累，意識又一次出走……

喬亞再次張開雙眼，發現眼前是個巨大的石室。

石室的中間是個石祭壇，石祭壇的正中央插著一柄通體黑色的劍。

克遜的背影出現在喬亞的眼前，昂然走向祭壇。

「小心！」大賢者大叫。

說時遲，那時快，黑劍的劍首突然變大，露出了一張異獸的猙獰臉孔，咬往克遜正要去拿劍的右手。

「師兄！」喬亞聽到阿芙拉的叫聲，接著一道水柱擦過喬亞的身旁，轟中了異獸的下顎，不讓牠逞兇。

克遜迅速拔出腰間刀，斬向異獸的額頂。「噹」的一聲，克遜的刀斷為兩截。

「讓我來！」大賢者說完，無形的風壓自他的掌心送出來，壓向異獸的頭部，要把牠壓回劍內。

異獸目露凶光，狠狠地瞪視著大賢者。

「回去吧，我們也會離開。」大賢者的聲音有點抖顫，顯然異獸的力量絕不簡單。

喬亞還是首次看見師父如此認真對敵，一時之間竟然不知道應該如何做才好。

克遜盯著斷刀，面帶沮喪。

「我來助你。」阿芙拉結起手印，對準克遜的刀。

克遜的斷刀立時變長了，斷裂的部分竟然以水代替。

「謝謝你。」克遜飛躍而起，掄刀一掃，「水之刃」劈向異獸的頸項。

喬亞看見大賢者和克遜夾擊異獸，突然感到身體有點不對勁，好像自己就是那頭異獸，被他們夾擊一樣。

異獸受到大賢者、克遜兩道力量的夾擊，不但沒有退縮，反而怒火橫生。劍身慢慢轉化，漸漸變出雙爪。

「快點離開。」大賢者左手擺動，生起勁風，把克遜送往洞口。

「小弟！」克遜的聲音從背後傳過來，喬亞卻完全聽不進耳內，緩緩地走近石祭壇。

「師弟！」阿芙拉嬌呼著。

喬亞像被什麼迷倒一樣，全副心神放在黑劍變幻而成的異獸之上。

「不要！」克遜跑了過去。

大賢者卻搖手叫他不要前進。

異獸咆哮一聲，企圖掙脫大賢者的「風之精靈法則」。可是任牠如何努力，部分身體仍然處於劍的狀態，異獸狀的上半身，劍狀的下半身，非常怪形怪相。

喬亞走到異獸的身前，把右手貼在牠的臉上。

很冰冷，又很和暖。

異獸低頭看著喬亞，正要揮掌打向他。

喬亞弓著身體，背部升起了一隻黑熊。

黑熊雙手舉起，擋住了異獸的巨掌。

「師父，牠很痛。」

大賢者收回右掌，異獸完全擺脫了枷鎖，迅速變成了黑色巨龍形態。

克遜、阿芙拉從來沒有見過龍，雖然感到很好奇，但也覺得很害怕，當然在他們複雜的情緒裡，最多的是擔心。他們擺好架式，只要黑龍敢傷害喬亞，他們就一定會拚命救回這個可憐的小弟。

黑龍朝天咆哮，頭撞向黑熊。

克遜很疼愛這個小師弟，怎能容許黑龍傷害他，也不待阿芙拉配合，猛然劈出一刀。「水之刃」沒法成形，但無匹刀氣竟然破刀而出，刀毀，克遜也被震得往後急退，但刀氣未止，直劈向黑龍。

黑龍正要避開，黑熊卻比牠更快迎上刀氣。刀氣與黑熊交擊，同時被巨大的氣流扯得消散，發出刺耳的低鳴。

阿芙拉按著雙耳，顯得極不舒服，不過她的臉上卻露出燦爛的笑容。

黑龍深深吸了口氣，把黑熊化成的黑煙吸進體內，接著竟然變回長劍，跌在喬亞的身旁。

喬亞拾起黑劍，臉色一沉，痛得跪了下來。

「對不起。」克遜知道黑熊的刀傷轉移成喬亞的痛楚。

「不要緊。」喬亞痛得漸漸失去知覺，他記得還清醒的一刻，聽到大賢者說：「看來要為你師兄找一把更堅固的寶刀。」

——這是多久的事呢？

喬亞記起那段日子，四師徒為了他的「病」不知道走了多少路。

「師父。」

「什麼？原來你只記掛你師父。」一把久違的女聲傳進喬亞的回憶中，聲音帶點倔強、帶點橫蠻無理，卻又熟悉如舊。

喬亞睜開雙眼，難以置信地看著她。

或許被喬亞看得有點不好意思，她撥了撥頭髮，說：「你不認得我嗎？」

喬亞連忙看著她的右臂，說：「你的手。」

「當然康復了，你這個負心的人。」她高舉右手，狠狠地摑了喬亞一記耳光。

喬亞感到臉頰炙熱，那預感的一巴掌終於來了。

「你忘記了我的話，你說過不會獨自面對問題，但你為什麼獨自引走光魚呢？」她說。

沒錯，喬亞眼前這個輕嗔薄怒的人兒正是「御劍師」溫妮雅。

「對不……」

她不待喬亞說完，再次把頭埋在他的胸口，說：「不用說了，換了我有你的能耐，也會這樣做。」

喬亞右手按著她的頭，說：「你怎會找到我呢？」

溫妮雅說：「還不是要感謝你的小寶貝嗎？」

「小寶貝？」

喬亞低頭，看見一隻黑色小松鼠。他攤開右掌，小松鼠知趣地走進他的掌心，慢慢融入他的體內。

記憶回到他的體內，他看見小松鼠胡亂地奔走，竟然誤打誤撞走到猶達的山洞。猶達不在洞內，只有虛脫的溫妮雅躺在地上。

她氣若游絲，右衣袖虛虛空空，化成冰塊的手臂已然斷裂，可能仍留在雪地之上。她一臉憔悴，看來離死期不遠。

小松鼠跑到她的身旁，用頭輕輕磨擦她的面頰。

「是誰？」溫妮雅微微睜開雙眼，看見一頭黑色的小松鼠，腦筋一時沒法轉過來，問，「是小朗嗎？你怎麼渾身漆黑呢？」

小松鼠咬著溫妮雅沒有了手臂的衣袖，想拖她起來。

「你在幹什麼？」溫妮雅說完，漸漸清醒過來，「喬亞呢？他還好嗎？你想帶我找他？他受了傷嗎？」

「我起不來了，很痛。」溫妮雅掙扎著說，「不，他需要我，我要站起來。」

想著，她的身體又起了變化，不但臉色開始轉藍，連空空的臂管也膨脹起來。

過了一會兒，她臉上的藍色退去，換回血肉的顏色。

溫妮雅坐了起來，用左手撫摸著本來已不存在的右臂，暗想：「看來我最厲害的技法就是無限復原。」

小松鼠爬到她的膝上，她摸著牠的頭，說：「帶我去見他。」

牠跳了下來，往洞口走去。

溫妮雅已經全面康復，追了過去。

喬亞摸著溫妮雅的右臂，說：「你怎會在山洞呢？」

溫妮雅說：「我依稀記得是猶達把我帶回山洞，不，我不記得是猶達，還是阿猶，抑或阿達。」

「是阿達。」喬亞記起自己也有類似的情況，不過又想起圖靈的話，一時之間，他也弄不清楚到底要怎樣稱呼猶達及他的「兩位兒子」。

「他把我帶回山洞後，好像想替我療傷，又好像要審問我。他雖然想救我，卻看見我空空的手臂，想起把我的手臂留了在雪地，就說：『你不要怕，我去找回你的手臂，圖靈叔叔會替你駁回它。』」溫妮雅說，「我本來的手臂會變成怎樣呢？」

「我也不知道。」喬亞說。

溫妮雅想起假如斷開的手臂能變回原形，那手臂豈不像蜥蜴為了逃走而犧牲的尾巴一樣嗎？

喬亞站了起來，說：「我們去找猶達。」

「為什麼呢？」

「人狼王、屍邪鬼都來了。」

「什麼？」

「我也跟他們交過手，我和你，再加上真魚也不是他倆的對手，只有與猶達聯手，才是上策。」

溫妮雅驚訝地問：「真魚呢？」

「她去了問圖靈，即是我們一直叫錯的唐靈，那兩個傢伙的弱點。」

「他們有弱點嗎？」

「當然有，正如吸血魔怕光一樣，屍邪鬼也怕水，只要在水中，他就不能復活。」

溫妮雅恍然大悟，說：「原來如此，可惜阿芙拉不在。」

喬亞點點頭，說：「我們之所以連番捱打，只是我們技藝不精，倘若是師兄、師姐二人，早已經可以制住他倆。」

溫妮雅說：「可惜這裡是海中心，否則我們可以找其他人幫手。」

喬亞本想告訴她，他們已被轉移到大雪山，但一時三刻也應該說不清楚，而且當務之急，他們需要找到猶達。

「我們快點動身，猶達去找我的手臂，說不定會碰上他倆。」溫妮雅說。

喬亞把黑龍劍遞給溫妮雅，溫妮雅不明所以，喬亞說：「我暫時呼喚不到黑龍，你使劍比我拿手。」

溫妮雅量了量黑龍劍，心想：「或許我們可以再次聯手使用『御劍術』。」

喬亞蹲下身子，遞起雙手，幾頭黑色兔子跳了出來。

溫妮雅看著兔子，感到很驚訝，追蹤、尋人不是狼比較好嗎？不過她想到喬亞每次變出動物都有自己一套看法，也就不追問。

「人狼王是追捕高手、屍邪鬼則會吸食生命能量，釋放過大的動物對我們沒有好處。」喬亞舉起右手，黑色貓頭鷹再次飛出來。

貓頭鷹展翅低飛，喬亞向溫妮雅使個眼色，緊跟隨其後。

——一定要在猶達遇上人狼王、屍邪鬼前找到他！

第三十八章　不要

喬亞急急撤走蝙蝠群，
納西斯也終於明白他為什麼說「不要」，
纏著他的不是人魚族的「活水」，
而是一位水造的少女。

「爸爸，你快點停下來。」阿達說。

「不能停下來。」阿猶說。

「再走下去，你就會昏迷，會被他們追上。」

「不用擔心，在雪蜃樓下，只有我們三父子可以行動自如。」

「要找個地方好好休息，除了他們，還有那個會變出動物的人類，以及人魚的後代。」

「那麼我們要更快離開，遇上他們的話，說不定會大打出手。」

猶達近乎吼叫：「你們別吵。」

說罷，「三父子」同時靜了下來。

猶達說：「你們別怕，我去找老八，他可以保護你們。」

阿猶說：「我們不要去找他，他是壞人，他沒有救到弟弟。」

阿達則說：「爸爸。」

「他是壞人……他是壞人……」猶達一面說，一面向著山壁走去。

果然如「他們」所說，雪蜃樓對他完全沒有影響，不一會兒已經來到圖靈居住的山洞。不過猶達的軀體如此健碩，看來不能穿過洞口。

他按著右胸已凝結的傷口，吸了口氣，朝著山頂走去，差不多到達山頂的位置，他突然消失了。

風雪依舊紛飛，猶達卻消失得無影無蹤，像從來沒有存在過一樣。

這就是他們在山腳目睹的一切。

他們在風雪下遠遠跟在猶達的身後，不敢靠近，直至猶達消失，才肯露面。

「老四，還是你厲害，竟然在老六身上埋了『詛咒』。」他說完，幾頭灰狼從他身旁走過，齊齊走往洞口。

沒錯，他們就是人狼王雷克蘭和屍邪鬼納西斯。

納西斯沒有看雷克蘭，心下卻不屑，暗想這個老三，剛剛還責怪自己是懦夫。

雷克蘭走近洞口，說：「老六真狡猾，竟然以這個山洞為餌，『邀請』我們進去。」

「這入口的大小，只能讓我走進去，裡頭必定佈滿陷阱。」納西斯說。

「可惜被你的『詛咒』識穿了。」雷克蘭說。

納西斯突然說：「糟糕，我感覺不到那『詛咒』的氣息。」

「什麼？」雷克蘭心想花了這麼多功夫，怎肯讓猶達說走就走，暴跳而起，躍至對方消失的地方。

不過他狼在半空，還未踏在雪地之上，就心生後悔。

一道刺眼的光芒自雪中飛出來，狠狠地刺向他。

也算雷克蘭身手了得，及時在半空扭身避開，否則就變得與猶達一樣，被刺穿身體。

雷克蘭重重摔在地上，右肩插著一支長矛。

——老六竟然使用武器？

納西斯看見長矛，微感訝異，想當年猶達跟他們交手，從來都是赤手空拳。

不過他不用盲猜，在風雪之中，隱隱約約看見猶達拿著另一支長矛，站在山頭，好不威風。

雷克蘭抬頭狠狠地看著猶達，說：「白猿竟然懂得用兵器，確實有趣。老六，謝謝你，我們把你分屍也不用感到寂寞了。」

猶達說：「你要謝謝我兩位兒子。」

他飛身而起，往納西斯撲過去。

「你忘記了一件事。」納西斯往後跳開。

「你是懦夫嗎？」猶達說。

「就是這數千年間，你學會了使用兵器，我也學會新的技藝。」納西斯說。

「什麼？」猶達瞪視著他。

「雖然我控制不到老大奴隸的思緒，卻可以令你痛苦不堪。」納西斯搖一搖右手，猶達登時感到右胸劇痛，難以再揮動長矛。

他勉強以長矛撐地，不讓自己仆倒地上，陣陣黑煙竟然自猶達胸口散發出來。

「這是什麼？」猶達一對白色的眼珠佈滿了紅筋。

「是生命能量，不過不是你的，而是其他動物的。」納西斯續說，「它們與你的身體排斥，是不是很痛苦呢？」

雷克蘭怒吼：「幹掉他。」心裡卻暗罵了一聲，剛剛納西斯說什麼失去了「詛咒」的氣息，看來是欺騙自己，不過還得與他對付老六、老八，唯有暫且把這口氣吞下去。

納西斯本想動手，可是猶達卻瞪了他一眼，說：「你以為我只有這種能耐嗎？」

雷克蘭說：「混蛋。」也不知道是罵猶達，還是罵納西斯。

納西斯看著雷克蘭的身形慢慢縮小，後腿漸漸回復人形，也不敢獨自面對猶達。

雷克蘭朝天暴吼，拔出了插在右肩的長矛，狠狠擲在地上。

「我要連你的兒子也一起碎屍萬段。」雷克蘭飛撲向猶達。

猶達提矛迎向雷克蘭，可是他一舉起右手，就瞧見納西斯揮動右手，劇痛難當。

「你們果然沒有白活。」

猶達只好往旁滾開，雷克蘭又怎會讓獵物說走就走，馬上伸出右臂向前抓去。猶達的反應慢了很多，眼看會成為雷克蘭利爪下的「祭品」。

一頭黑狼從旁跳了出來，硬撞向雷克蘭。

雷克蘭身形如此龐大，只被黑狼撞得身軀微微一搖，可是猶達已乘這片刻的空隙，滾得老遠。

猶達吸了口氣，想再次施展自己在雪地上的優勢，隱身而去。可是牠在納西斯的「詛咒」下，只能勉強站起來，連想逃跑的力量也不足夠。

「猶達，我們去對付納西斯，雷克蘭交給你。」

猶達疑惑之際，就看見喬亞、溫妮雅一齊撲向納西斯。

「不要！」猶達立時想起若干年前，自己也有過無數人類同伴，可是他們都被老四吸食了生命能量，最後只剩下兩個人類小兒。

他收養了他們，可是人類實在太脆弱。

「父神，為什麼你要創造我們呢？」

「人類太脆弱了。你們八個在最惡劣的環境下也可以生存下去。」

「我們要取代人類？」

「如果可以幫助人類就幫助，否則由你們繼續生存下去。」

「但老大他們仇視人類。」

「他誤會了我的意思，我不是要你們取代人類，而是延續下去。若干年後，你們也會變得跟人類一樣。」

「多少年呢？」

「我也不大知道，總言之，你們也是人類，不可以自相殘殺。」

猶達本來想起他的兩個養子，可是不知怎地卻記起了「父神」的話。

猶達兩眼通紅，飛身躍起，想比喬亞、溫妮雅更早一步撲向納西斯。

可是雷克蘭的反應並不慢，一躍就把猶達擒住，一齊摔倒在地上。

「我不會讓你過去，他們最終只會被老四吸乾，然後成為我狼子狼孫的食物。」

「豈有此理。」

猶達、雷克蘭兩個大塊頭終於扭抱在一起，技擊上的優劣已經不是關鍵，反而如圖靈所說，變成了力量的決鬥。

「爸爸，讓我來。」

「爸爸，你要好好生存。」

「老八一定可以延續你的生命。」

「弟弟已經先一步走了，接著我也要離開。」

「我去求老八，他一定有辦法。」

「他是壞人，你不要求他。」

「你不要離開我。」

「爸爸，我們命若流星，最終也會在消失在浩瀚宇宙之中，這是必然的過程。」

「我知道。」

「我死後，就把我葬在弟弟的旁邊。弟弟很怕寂寞，你要為他每年造一支新矛。」

「我們一起做。」

「我走了……」

猶達記起他的大兒子阿猶逝世的情況，也記起每年造新矛的情景，那是他每年最平靜、最專注的日子。

猶達朝天大叫，使盡全力把雷克蘭推開。

雷克蘭驚懼之際，猶達再次閃身至他身後，狠狠地扭著他的頸。

「同一招是沒有用的。」雷克蘭身形暴漲，又變成了巨狼。

他朝著山壁撞過去，把猶達壓在壁上。

「很痛……」猶達漸漸失去知覺。

雷克蘭心想大局已定時，暴風雪竟然暫停了。

他暗覺奇怪，卻聽到納西斯慘叫：「老三，救我！」

他回頭，竟然看見納西斯……

喬亞、溫妮雅才走近圖靈躲藏的山洞，就聽到激烈的打鬥聲，他們本來想靜觀其變，但看見猶達差點被殺，就知道不能再等待。

喬亞阻止了雷克蘭的毒手後，與溫妮雅打了個眼色，齊齊撲向他的天敵——納西斯。

第四次交手了。

喬亞大喝一聲，幾百頭蝙蝠飛撲而去。

納西斯暗覺奇怪，這小子難道不知道自己能吸食這些蝙蝠，化為己用嗎？莫非他想重施故技，乘自己吸食之時，逃之夭夭？

蝙蝠密集得如一道巨牆，把納西斯的所有視線都擋住了。

納西斯隨手擊殺了四隻蝙蝠，吸了口氣，在蝙蝠的生命能量回到喬亞身體前，有一半已化為他的食糧。

「我就看你還有多少體力。」納西斯心想。

突然，一道黑色的光芒擦過納西斯的左肩，劃出了一道傷口。

納西斯驚訝之際，光芒在半空轉了個圈，劈向他的左腰。

「可惡。」納西斯終於明白是什麼一回事，原來喬亞的蝙蝠只是掩護，攻擊他的主力是溫妮雅與黑龍劍。

納西斯雖然可以無限復原，但受到刀劍之傷，也會像人類受傷、失去知覺，哪敢大意，暴跳而起。

他身處半空，認清楚喬亞的位置，不理會蝙蝠群的阻攔，撲至喬亞的身前。

納西斯右手一伸，插向喬亞的胸口。

——這小子的生命能量如此充沛，吃過後說不定有更大力量控制老大的奴隸！

喬亞不閃不避，一個黑色的獅頭露了出來，捱了納西斯的重擊。

接著一頭鯊魚自喬亞頭頂冒出來，咬向納西斯的頭。

納西斯一面訝異這小子不要命的打法，一面留心蝙蝠群中的溫妮雅。

喬亞說：「你就盡情吸吧！」

各式各樣的動物自喬亞體內飛出來，教納西斯一時之間只管拍打，而忘記吸食。

蝙蝠群再次逼近，納西斯正想躍走，喬亞竟然整個人撞向他。

黑色的閃光自蝙蝠群中亮起，直插向納西斯的背部。

——我怎可以在這裡輸給這兩個傢伙，我不能再被捉回去！

納西斯打定主意，急跳而起。

他才升上半空，暴風雪突然停止。

接著他看見一個戴著黑色頭盔的傢伙自山洞走出來，她高舉右手，接著一道水柱自地上飛出。他只好閃身避開，再次落在地上。

「你來吸食我吧！」

納西斯聽得是溫妮雅的聲音，已下了決定，捱對方一劍，然後生擒她。

可是他才伸手入蝙蝠群，就後悔了。

——水？怎會是水？那人魚竟然把水收藏在蝙蝠群中。

納西斯正想往後退，水竟然主動纏著他。

「不要！」說話的竟然是喬亞。

喬亞急急撤走蝙蝠群，納西斯也終於明白他為什麼說「不要」，纏著他的不是人魚族的「活水」，而是一位水造的少女。

納西斯記得上次看見這少女，她還不懂得這種絕技，難道她去了水都？學會了人魚的技巧嗎？

沒錯，這少女就是溫妮雅，她不但再次變成水，還主動地纏著納西斯。

當然，那戴著黑頭盔的正是剛與圖靈相談過的真魚。

「喬亞，挖一個洞。」真魚大叫。

喬亞不問因由，體內迅速走出幾頭獵狗，快速地在地上挖了個深洞。

「溫妮雅，推他下去。」真魚又叫。

納西斯說：「你也會一起死掉。」

溫妮雅變成水後，沒法說話，也沒有表情。

不過她仍能聽到真魚的話，拖著納西斯一起投入洞中。

「老三，救我！」納西斯終於發出慘叫聲。

真魚的「倍化」早用水填滿地洞，納西斯被投進水裡，身體變得異常虛弱。

「斬下他的頭。」真魚說。

喬亞拾起黑龍劍，但他看著沉入地洞的納西斯與溫妮雅，卻不敢出手。

他實在很怕傷害到溫妮雅，雖然她變成水後可以復原，但假如這次是例外的呢？

就在喬亞猶豫之際，雷克蘭已拋下猶達，撲向喬亞。

喬亞聞得風聲，知道雷克蘭不顧一切向自己攻來，以他現在的狀態，應該難以匹敵，但他反而更放心。

至少他不用選擇那一劍該不該劈。

——老朋友，你說是不是呢？

喬亞回身，兩手緊握黑龍劍，竟然放棄了劍走輕靈的要訣，把劍當成刀使，劈向雷克蘭那不成正比巨大的右爪。

刀爪交擊，喬亞處於劣勢，跌倒在一旁。

雷克蘭仰天長嘯，走近地洞。

「別靠近。」真魚說完，地洞的水不住膨脹，湧向四方八面。

「我不怕水的，狼兒，教訓這丫頭。」雷克蘭的狼群聽到老大的話，蜂湧地撲向真魚。

「就看誰怕誰。」真魚嬌呼一聲，雙手環抱，地下水湧得更猛烈。

喬亞、溫妮雅、猶達都已經沒有辦法戰鬥，現在一切都只得依靠她。

水湧得確實很快，但狼群撲得更快。

真魚已不住四處亂竄，但身上仍添了不少爪痕。

「你姐不在，多凶猛的水都不過是一潭死水。」雷克蘭步近地洞，伸手要把納西斯拉上來。

納西斯急說：「小心背後。」

雷克蘭回身揮動右爪，把正要攻上來的猶達打開。

猶達先被黑龍劍斬傷了右手，後又被納西斯貫穿了心坎，傷疲之軀，動作不及平日

精細。他只能揮動長矛，勉強與雷克蘭對抗。

雷克蘭不住舞動利爪，說：「如果你現在逃走，就不用被分屍。」

猶達沒有理睬他，雷克蘭說句「冥頑不靈」，右腳使勁，踢在猶達的腿上。猶達本想忍住痛楚，但「喀裂」一聲，腿骨竟然被踢斷，他連站也不站穩，跌倒地上。

雷克蘭右手抓住猶達的頭，左手打掉他的長矛，說：「完了。」

他正要拔出猶達的頭，卻看見一物在地上滾動，細心一看，竟然是納西斯的頭。

雷克蘭回頭，看見納西斯的軀體仍然被溫妮雅捉住，不過他們的頭顱都被黑龍劍砍了下來。

——那小子怎會捨得傷害他的小情人呢？

雷克蘭大為震驚，卻見喬亞兩眼通紅，跪在地上，驚訝地看著黑龍劍在半空不住飛舞。

——是誰的能力？是老八嗎？

黑龍劍撲向狼群，爽快地刺死了四隻灰狼，解救了真魚的危機後，就飛向雷克蘭。

真魚危機剛解決，立即大叫：「可以再開動雪蜃樓。」

「果然是老八搞的鬼。」雷克蘭說完，撲向納西斯的頭顱。

猶達怎會讓納西斯再次復活，飛起右腳，把納西斯的頭顱踢向真魚。

真魚一手執著頭顱，一手指向雷克蘭，意氣風發地說：「現在只剩下你一個。你能通過圖靈佈下的陷阱嗎？」

雷克蘭稍稍猶豫，真魚即說了一個單字：「火。」

雷克蘭皺了皺眉，環視著四周，心想對著眼前的四個傢伙，自己是佔盡上風的，不過正如真魚所述，單憑自己一人是沒有辦法到達老八的身前。

——看來要等待下一次機會。

「老六、老八，小心老大的奴隸大軍。」雷克蘭說。

「我正要去找他。」真魚的話聲突然變得生硬，語速完全不像人魚或人類該有的。

「老八，不要說做兄弟的不給你提示，老大、老七就在王都，很快就會統一全國，所有人類都會變成他的子民。老四，遲點來救你！」雷克蘭飛身而起，領著狼群迅速退走。

猶達呼了口氣，坐在地上，向著天上說：「阿猶、阿達，你們看見嗎？」

「喬亞，你怎樣呢？」真魚扯著喬亞的衣領。

喬亞像魂不附體，神情一片落寞。

「我們還要救她。」真魚續說。

「救她？可以嗎？」

第三十九章　王都之行

他曾經聽過很多人形容王都有多繁華、多廣闊、多宏偉，但親眼瞧見，還是忍不住驚嘆。

喬亞看著溫妮雅水色的身體，終於深切體會到原來對方在自己面前犧牲的可怕。而且對方還要死在自己的劍下，當喬亞看見黑龍劍突然掙脫他的右手，莫名其妙地飛上半空，就有非常強烈的不祥預感。

——老朋友，你要幹什麼呢？

但黑龍劍完全不受他的控制，而且他也沒有御劍的能力。

在大雪山裡，唯一有御劍的本事就只有她——「御劍師」溫妮雅，但她並沒有跟黑龍劍結成契約。

她能控制黑龍劍的方法只有透過自己，心念至此，喬亞禁不住看著已變成水的溫妮雅，或許已經習慣了的緣故，溫妮雅竟然可以維持人形，還捉住了納西斯。

——她為什麼可以控制黑龍劍呢？

喬亞低頭一看，竟見自己跌坐在一個雪融化成的小水窪之上。

小水窪有幾條水流連著地洞，溫妮雅正站在其中。

喬亞立即往旁跳開，可是他才落在雪地上，就發現整片雪地下都是積水，他無處可逃。

——只有跳到樹上。

可是他的動作顯然慢了。

黑龍劍在半空繞了幾圈，飛向溫妮雅和納西斯。

「不要！」喬亞伸出右手，一隻飛鷹從黑龍劍內飛出來。

飛鷹拉住黑龍劍，不住往後飛。但黑龍劍的力量實在太大，飛鷹慘嚎，雙腳斷裂，化成黑煙，飛回喬亞的體內。

喬亞心知不妙，雙手遞出，想再次借溫妮雅之「御劍術」，隔空變出幾頭動物。

可是他的動作顯然又慢了。

黑龍劍以他難以置信的速度和力量，斬下了納西斯的頭顱。但劍勢未盡，把納西斯身後的溫妮雅也一分為二。

溫妮雅的頭顱跌在水中，一下子竟然化為烏有，融入水池之中。

「怎麼可以這麼輕易就死去……」喬亞說，「黑龍，你為什麼不阻止她？不，你一定是把她帶到劍內。」

不過喬亞看著溫妮雅的身軀，很快放棄了這個念頭。

她已經死了！

「救她？可以嗎？」

「當然可以，我們來到這裡不是要犧牲誰。」真魚的聲音很響亮，不過在喬亞聽來，她越說得大聲，越似在掩飾內心的虛空。

喬亞確實沒有聽錯，真魚也終於在這一刻明白自己的內心，她不想溫妮雅落單、受傷或死亡，她反而希望發生意外的是自己，只有這樣子喬亞才不會太難過。

——請你快點康復，不要讓他太難過。

旭日初升，慢慢刷亮了雪地。

陽光照射在溫妮雅的軀體上，慢慢有了人的膚色。但溫妮雅的頭顱還沒有長出來，這一刻變回人類的話，她是會死的。

「不要！」喬亞急急擋在陽光之前，但陽光還是從他的身旁漏進去。

喬亞咬緊牙關，面上青筋暴現，數百種不同的動物一齊從他的軀體走出來，再次包圍著溫妮雅。

「快點刮風雪……」真魚又對著頭盔的另一端的圖靈說。

「不用了。」一把溫柔的女聲從動物的包圍中傳過來。

喬亞激動得差點流下眼淚。

一隻玉手掃開了動物，露出一張芙蓉臉。她既溫柔，又倔強地說：「你應該明白你的任性，帶給我的痛楚吧！」

喬亞命動物把她抱起，帶到自己面前。

溫妮雅伸出雙手，喬亞把她接過來，脫下外衣，披在她的身上。

「謝謝你。」溫妮雅說。

喬亞有種想抱住她的衝動，不過在他還沒有動作之前，溫妮雅已先一步抱著他。

「你抱得太緊了。」喬亞尷尬地說，溫妮雅卻沒有鬆開雙手的意思。

真魚輕咳了一聲：「我們要快點準備。」

溫妮雅露出訝異之色，真魚續說：「剛剛雷克蘭不是說德古拉將組成大軍嗎？」

溫妮雅放開喬亞，問：「我們要在這裡佈下陷阱嗎？」

喬亞卻搖頭說：「不。」

「為什麼呢？」溫妮雅、真魚異口同聲問。

「我們必須先發制人。」喬亞說。

溫妮雅露出疑惑之色，喬亞說出自己的擔心：「我們必須趕回王都。」

「如果那是陷阱呢？」真魚訝異地說。

喬亞定睛看著溫妮雅，溫妮雅也隱隱約約猜到是什麼一回事，微微地點頭。

「我們的親人都在王都，必須在最壞的情況發生前趕過去。」喬亞心裡卻在想，師兄克遜應該是破解吸血魔大軍的關鍵，必須在他與吸血魔接觸之前告知他一切，否則若師兄也被吸血魔所害，就萬事休矣。

「沒錯，假如師父、哥哥和嫂嫂都變成了吸血魔的手下，以我們的能耐是沒有辦法抗衡。」溫妮雅也說。

真魚看著眼前這兩名人類，暗想如果他們成為了德古拉的手下，本身的技法再加上不死身，就不是他們一兩尾人魚可以抵抗。而且德古拉身旁還有能令一切「活水」歸於「無」的人魚族叛徒——紀康。

「老五已經死了，老四則在我們手上，這方面是和局。」猶達突然說，「不過『父神』已經不在、老八的能量也差不多用盡，我一人是對付不到老大、老三和老七的。」

喬亞他們看著猶達，不知道應該如何跟這個剛才還是敵人的傢伙相處。

「放心吧。」猶達說，「看見兩支長矛，我已經清醒過來，他們沒有住在我的體內。況且，我應承過『父神』，不可以讓老大他們傷害人類。」

喬亞深深吸了口氣，說：「我們到了王都，會召集有能力之士對付吸血魔。」

「人魚族會全力支持你們。」真魚說。

「但你們要守住水都。」溫妮雅說。

喬亞也說：「你們已經不懂得使用水都的武器。」

真魚不服氣地說：「但我們有『活水』。」

溫妮雅說：「你也說得對，在危急關頭，是你幫助了我們。」

真魚又說：「我也一起去王都，除了我和姐姐外，其他追捕隊的成員尚未回到水都，可能就潛伏在德古拉他們的附近。」

猶達說：「你們或許可以填補老五的空缺，但我們必須找到他。」

「誰？」溫妮雅、真魚異口同聲地說。

「老二。」猶達說。

喬亞腦際升起一個綠色的身影，他暗覺奇怪，他不曾見過對方，但為何會對對方有印象呢？

「曼陀羅？」溫妮雅說。

猶達點點頭，說：「現在的情況看來，只有他可以對抗老大。」

「但在古老之戰，他不是不幫助任何一方嗎？」真魚說。

「他只是不想打破平衡，但『父神』不在、老八不能參戰，他應該不會再保持沉默。」猶達說。

「我們在哪裡可以找到他呢？」真魚說。

「我會去說服他。」猶達沒有說出地方。

真魚本想說她也去，但她還要去王都。

「不過我們先要處理老四的頭顱，一旦讓他與軀體接觸到，他就能復活過來。」猶達說。

真魚這時才記起自己正拿著納西斯的頭顱。

「他不會像我再生回頭顱嗎？」溫妮雅問。

「我們確實可以自行療傷，但像這般一分為二，是不可以長回另一部分的。」猶達說，「而且只要浸在水中，他就不能再復原。」

「我們要怎樣處理呢？難道……」真魚想說帶他回水都，這也是他們被派遣到陸上的原因。

猶達說：「留給老八吧。」

「他可以嗎？」喬亞說。

「當然可以。」猶達續說，「我只是外圍守護者，老八會守護自己。」

喬亞皺眉說：「山洞是他的軀體嗎？」

猶達點點頭，說：「那是與他連結起來的地方。」

真魚忍不住問：「他到底是什麼動物呢？」

猶達搖首說：「他不是動物。」

真魚問：「那他是什麼呢？」

猶達說：「他就是圖靈，世上最聰明的傢伙。在戰前，他主宰全人類的生活，但凡衣食住行都需要他，人人依仗他，不過戰後，人類銳減，『父神』就跟老五、老八合作，製造出可以囚禁老大他們的地方；也把老八移植在這個地方，不讓人類發展得太快。」

溫妮雅說：「這有可能嗎？」

喬亞突然想起被頭盔轉移到別的世界的經歷，假如圖靈擁有無數的頭盔，交給全人類，確實可以讓人類到達任何一個空間，主宰他們的生活。

「為什麼要移植到這裡呢？」喬亞問。

「其實這裡只是一部分，老八的分身還在天上、海上、大湖泊，組成一張巨大的網，把世界分成了不同的部分。」猶達說。

真魚對猶達的話半信半疑，但他們確實是穿越海上的黑雲，才到達這裡。

喬亞呼了口氣，說：「你的話未必百分百準確，但我相信你的話。」

溫妮雅他們聽到喬亞如此矛盾的答法，都覺得奇怪。

喬亞解釋：「時代太遠，應該有些偏差。但這陣子發生的事不是超乎我們的想像嗎？按此推理，在過萬年的文明中，人類曾經差點滅絕不是什麼特別神奇的事。不過我有一個問題……」

猶達說：「什麼問題？」

「當初你們為什麼不把德古拉、雷克蘭他們的頭顱和身體分開囚禁呢？」喬亞問。

「『父神』太善良，總希望有一天他們會改過。」猶達說。

喬亞說：「既然真魚的祖先也會死亡的話，即是你們不是殺不死的，只是不夠狠心吧？」

猶達搖首說：「我也不知道，倘若你能殺死他們，就請你也殺死我。」

溫妮雅連忙說：「這只是推測，他並沒有確實的方法。」

喬亞拾起黑龍劍，說：「我們處理完這裡的事就會去王都。」

猶達說：「我會先去找老二，他應承與否，讓老八通知你。」

喬亞說：「對了，我還有一個問題。」

「什麼問題？」

「你到底是什麼物種呢？」

「我是大腳野人！」

——大腳野人？

喬亞每次想起猶達自稱為「大腳野人」，除了覺得這名字跟他很匹配外，也會想起圖靈的話，他們都是由人而來。沒錯，無論是雷克蘭、納西斯，還是猶達，甚至人魚族，都擁有很多動物沒有的雙腳站立的本領。以此推斷，德古拉、曼陀羅也該如此，唯獨圖靈並不相同。

——他為什麼會住在鏡內呢？

——猶達説他是被移植進去，難道他本來不是這個樣子嗎？

喬亞嘗試用生命能量製作他們，可是跟黑龍、光魚的情況一樣，他沒法製作出「八大惡」任何一位。

只要是動物，他就可以製作出來。

——看來他們不是傳說生物，就是人類的近親。

喬亞攤開右掌，禁不住問：

——我為什麼有這種能力呢？

——「幻獸術」只能變出動物的外觀，而不能變出牠們的特性。

——而且應該不能把感觀帶回給施術者。

「到了！」溫妮雅的話打斷了他的思緒。

喬亞剎停了胯下之軀，遙望著聳立在遠方的城堡。

它的四周是密密麻麻的樓房，樓房之外是綠色的田野。

每種東西都井然有序地排列，層次分明。

或許是克遜本身的意願，喬亞與師兄師姐從來沒有到過王都。

他曾經聽過很多人形容王都有多繁華、多廣闊、多宏偉，但親眼瞧見，還是忍不住驚嘆。

真魚也有相同的感覺，水都算是一個大城市，但相對於王都，規模上還是有點小巫見大巫。若非水都有個圓形的透明天幕，令它更見特別，它或許只不過是大地上一個中級城市。

「終於回來了。」

溫妮雅呼了口氣，沒有說話，不過喬亞、真魚都彷彿在她的嘆息中聽見她如此說道。

——也確實可以用「終於」！

喬亞想起自遇上溫妮雅，他就決定與師兄、師姐去王都一趟，見證師兄登上王位，但猜不到中途竟然遇上意外，結界、黑龍劍內、水都、大雪山，每個地方都充滿神秘感；端芮、納西斯、雷克蘭、猶達，隨便一個也教他差點死去。不過無論發生了多少事，過了多久，繞完這麼一個大圈後，他也終於來到這裡。

溫妮雅正要騎馬進去。

喬亞卻搖搖手，說：「我們先打聽一下。」

溫妮雅露出疑惑之色。

黑龍劍劍身飛出幾頭黑色的烏鴉，怪叫了幾聲，就飛往王都。

溫妮雅看著烏鴉的身影，突然冒起不祥的預感。她好像看見了一場龍爭虎鬥即將在王都發生，右手禁不住發抖。

——不要胡思亂想！

溫妮雅想阻止自己胡思下去，可是越是阻止，手越發抖，她不想讓喬亞他們知道，正想別過身子，一隻溫暖的手卻按在她的手背。

她沒有抬頭，也知道手的主人正是喬亞，就放心下來。

——沒錯，面對的難關縱使多難過，他們都一定可以闖過的。

她身旁的不是別人，是世上最無所不能的術者——「幻劍師」喬亞。

（第一輯完，請看第二輯）

作者／徐焯賢
封面設計／寺健
總編輯／葉海旋
助理編輯／周詠茵
出版／花千樹出版有限公司
地址：九龍深水埗元州街二九〇至二九六號一一〇四室
電郵：info@arcadiapress.com.hk
網址：http://www.arcadiapress.com.hk
印刷／美雅印刷製本有限公司
初版／二〇二一年六月
ISBN: 978-988-8484-88-1